청춘

인문학을 묻다

인간과 세상을 통찰하기 위한 청춘들의 유쾌한 질문!

CONTENTS

_Prologue

'인문학 열풍'

2014년, 인문학을 주제로 한 책들은 베스트셀러 목록에 올랐고, TV 프로그램과 대학 강연에서도 어렵지 않게 '인문학'을 접할 수 있었다. 기업에서는 인문학적 인재를 채용조건에 내걸기도 했다. 말 그대로 한국사회에 인문학 열풍이 불었다.

'열풍 속의 공허'

"21세기에 가장 중요한 학문은 인문학이다.", "창의적인 인재가 되기 위해 인문학을 공부해야 한다." 많은 이들이 인문학의 중요성을 언급했지만, 들불처럼 번지는 인문학 열풍 속에서 우리가 처음으로 마주했던 인문학은 공허했다.

고전으로 구성된 인문학의 주요 내용은 생소하고 어렵기만 했다. 주제만 인문학으로 바뀌었을 뿐 지식을 전달하는 것에는 다른 학문과 차이가 없었다. 부족한가 싶어서 인터넷 백과사전을 뒤져가며, 인문학의 어려운 개념들을 이해하려고 노력도 해 보았다. 그 전에 몰랐던 지식을 알게 된 것에는 이견이 없지만, '인문학이 중요하다.' 는 말에는 여전히 공감할 수 없었다. 갈수록 인문학 열풍은 마치 빈껍데기 같았다.

다시 처음으로 돌아와서 인문학의 본질에 대해 진지하게 고민했다. 일단 인문학에 대한 정의부터 시작해야 했다. 인문학의 사전적 정의는 '인간의 사상 및 문화를 대상으로 하는 학문영역'이다. 그렇다면 인간의 사상과 문화는 어떻게 생겨나는 것일까? 생각해 보니 어렵다고 생각했던 고전의 내용이 이 질문의 해답이었다. 고전작가들은 인간은 사유 양식과 문화 양식의 기원을 고민했다. 왜? 그들에게 해결해야 할 문제가 있었다.

동양 철학의 주요 내용을 차지하고 있는 제자백가의 예를 들어보자. 춘추전국 시대를 겪으며 제자백가가 등장했다. 춘추전국시대는 끝도 없이 전쟁이 이어지는 대혼란의 시기였다. 당대의 지식인들에게는 이 끝도 없는 전쟁에 종지부를 찍을 해결책이 필요했다. 그들은 이 혼란의 시기가 계속되는 이유를 분석했고, 저마다의 결론을 맺었다. 그렇게 공자, 묵자, 맹자, 한비자 등 위대한 사상가들이 등장했다.

시대는 변하지만, 문제는 계속된다. 문제의 핵심에는 언제나 인간이 있었다. 문제를 해결하기 위해서는 인간에 대한 이해가 필요하다. 우리가 인문학의 본질에 대해 고민했던 것처럼 인간을 이해하는 것은 "왜?" 라는 질문에서 태동한다. 시대를 막론하고 문제가 나타났고, 인간은 문제에 "?" 의문부호를 붙였다. 인문학의 시작과 본질에 바로 "왜?" 라는 질문이 있었다. 그때 비로소 인문학의 중요성을 실감하기 시작했다.

"어떻게 책을 쓰게 되었나?"
내용보다는 질문하는 행위가 중요했다. 기존의 인문학 서적과 강연들은 한 방향이었다. 질문은 없고 전달만 있었다. 우리의 인문학은 우리의 질문으로 시작한다. 여러 대학, 각기 다른 전공의 교수님들께 질문을 구했다. 주제는 전공을 가리지 않고 최대한 넓게 접근했다. 인문학의 큰 그림을 보고 싶었기 때문이다.

인터뷰를 계속해 나가며 알쏭달쏭한 인문학이 생생하게 다가왔다. 인터뷰를 마칠 때 공허한 느낌보다는 더 단단해진 자신을 마주했다. 인터뷰를 계속하다 보니 내용이 상당했다. 우리끼리만 품

고 있기에는 이 경험이 아까웠고, 책으로 엮어 대중과 공유하면
좋을 것 같다는 생각을 했다.

　책은 각 인문학 분야에 대한 20대들의 질문, 그리고 각 분야 교
수님들의 답변들로 구성되어있다. 교수님들이 그 학문의 대표성을
띄는 것이 아닌 개인적인 의견을 낸 것임을 밝힌다. 인문학에 호기
심이 생겼지만, 어디서 어떻게 접근해야 할지 모르는 독자들이 있
으리라 생각한다. (우리가 그랬던 것처럼) 그런 고민이 있는 사람들이
라면 여기서 책을 멈추지 마라.
　20대의, 20대에 의한, 20대를 위한 인문학 여행, 여러분과 함께
할 수 있으면 좋겠다.

　〈청춘, 인문학을 묻다〉는 많은 분들의 고민과 도움이 있었기에
출판할 수 있었다. 끝까지 함께하지는 못했지만, 출판의 기획부터
실행에 이르기까지 도움을 줬던 김규성, 최기주, 송지용, 김준원, 강
지후, 김성환, 오세강에게 고마움을 전한다.

-

인 문

운 동

-

이 남 곡 선 생 님 (인 문 운 동 가)

"

하나인 세계, 하나인 인류를 사랑하라!

또 그 세계를 구체적으로 구현하는 삶의 기쁨을 만끽하라!

그 과정에 '고독'은 없다.

"

인간은
어떤 존재인가?

Q. 인문운동가 이남곡 선생님의 관점에서 인간이란 어떤 존재인가요?

인간이란 동물계로부터 비약飛躍, 즉 질적 도약이 이루어진 존재이며 가장 큰 특징은 다른 생명체와는 차원이 다른 '자유 욕구'와 '지적 능력'이라고 생각합니다. 이 두 가지의 결합으로 인류는 '자유 확대'라는 여정을 시작했고, 지금도 그 길을 가고 있지요.

그러나 인간의 이 특징적 능력들이 부자유의 원인으로도 작용하는데 높은 물질적 생산력은 '물신物神'의 지배로, 인간의 사유능력은 '아집我執'이라는 부자유로 나타나요. 지금은 이런 부자유에서 벗어나기 위한 노력이 진행 중이라고 생각합니다.

저의 이러한 생각은 '테이야르 사르탱'의 견해로부터 영향을 받았습니다.

Q. 인문학을 배우는 목적은 무엇인가요?

자신을 풍부하게 하고, 자신과 세상을 변혁할 수 있는 '인문적 토대'를 쌓기 위해서입니다. 자신을 풍부하게 한다는 것은 욕구의 질이 달라지는 것을 의미해요. '물신의 지배'로 인해 감추어져 있는 우리의 '숭고 지향의 품성'을 일깨우는 것이죠. 밝은 품성과 감성이 살아나면, 물질적 소유와 소비에 대한 욕구는 자연스럽게, 부자유 없이 감소하게 되어 '인간'이 풍요로워지게 될 것입니다.

요즘 나라와 사회의 진보를 가로막고 있는 편 가름과 증오의 문화를 허무는 인문적 토대란 ① '내 생각이 틀림없다.' 는 단정적 사고방식에서 벗어나게 하는 것과 ② '분리 독립된 실체'가 존재하지 않는다는 일체一體를 자각하는 것으로 생각해요.

세상의 변혁을 진정으로 원하는 사람일수록, 스스로 인문적인 토대를 튼튼하게 해야 할 것이에요. 물론 배우는 것이 즐거워야 진짜입니다.

Q. 자본주의를 옹호하는 인문학자는 진정한 인문학자가 아니라는 생각에 대해서는 어떻게 생각하시나요?

자본주의를 옹호하느냐 반대하느냐는 본질이 아니에요. 왜냐하면, 자본주의라는 제도는 사람들의 일반적인 욕구·의식의 지지를 받아서 보편적인 시스템으로 존재하고 있고, 또 자본주의는 그 자체가 변화하기 때문이지요. 자본주의는 붕괴나 타도의 대상이 아니라 넘어서야 할 존재에요. 요즘 자본주의 4.0 같은 것은 상당히 진화된 자본주의입니다.

한마디로 물신 지배를 암묵적으로라도 옹호하거나 아집을 더 강화하는 것은 참된 인문학이라고 할 수 없는 것입니다. 적절한 예가 될지 모르겠지만, 저는 고등종교야말로 가장 훌륭한 인문학 교과서라고 생각하는데, 만일 그런 종교들이 돈 많이 벌게 해달라고 경쟁에서 이기게 해달라고 기도하고 예불한다면, 그것은 엄청난 일탈이 아닐까요?

저는 인문학은 '물신의 지배로부터 인간을 해방하고, 자기 중심성을 넘어서는 의식의 진화'를 지향하는 학문으로 보고 있어요. 자본주의에 반대하지만, 자본주의를 넘어서는 사회를 운영할 수 있는 사람들이 생길 수 있는 위한 방도를 제시하지 못한다면, 그것은 부족하다고 볼 수 있지요. 진정으로 자본주의를 넘어서는 사회를 원한다면, 그 사회를 운영할 수 있는 새로운 인간을 탄생시키는 노력을 해야 해요.

Q. 어떤 사람이 잘사는 사람인가요?

즐겁게 사는 사람이 잘사는 사람입니다. 즐겁지 않으면 진짜로 사는 것이 아니에요. 우리가 추구하는 고상한 가치들이 있지요. 또 세상을 바르게 좋게 만들려는 사회적 실천을 하는 것도 좋습니다. 그런데 가장 중요한 것은 그런 가치나 실천이, 내면 가장 깊은 곳의 진정한 기쁨과 만나야 한다는 것이에요.

항상 기쁜 것만은 아닙니다. 어려운 일도 슬픈 일도 괴로운 일들도 있으나, 그것을 이겨내는 원동력이 내면 가장 깊은 곳의 기쁨이라는 것이에요. 다만, 금방 공허함이나 괴로움으로 바뀔 수 있는 일시적 쾌감이나 만족감에 속지 않아야 합니다.

Q. 어른이 되어도 우리는 여전히 같은 사람일까요? 더 나은 방향으로 어른을 맞이하기 위해서는 어떠한 노력이 필요할까요?

최근 22년 전에 쓴 글을 읽어 보았습니다. 생각이 달라진 것이 있었고, 그 당시와 확실히 달라진 나를 느낄 수 있었지요. 아마 세포도 거의 바뀌었을 것입니다. 그러나 확실한 것은 과거의 내가 있어 지금의 내가 있는 것이지요. 사람마다 이 '연속성'과 '변화'의 관계는 다양할 것입니다. 기본적인 냄새와 맛은 유지되지만, 엄밀하게 보면 같지 않다는 생각이 들어요.

사람의 성숙에 대해 가장 친절하게 알려주는 성인이 공자에요. "10대에서 40대까지는 흔들리지 않는 중심을 세워가는 과정이고, 50대부터는 가벼워지는 과정이다."라는 그의 말은 대단히 중요해요. '지천명知天命', '이순耳順', '종심소욕불유구從心所慾不踰矩'는 점점 아집이 엷어져 자유로워지는 과정이에요. 자신이 가볍고 자유로워진다는 것은, 다른 사람들이 다가오기 편한 사람으로 된다는 것입니다.

점점 고령화 사회가 되고 있어요. 노후가 행복해야 성공한 인생입니다. 흔히 노인의 삼고三苦가 있지요. 바로 '가난', '질병', '고독'입니다. 아마 사회가 진보하면 가난이나 질병은 국가와 사회가 해결할 수 있을 것이에요. 물론 고독도 공동체적 삶을 조직함으로써 어느 정도 해결할 수 있을지도 모르지만, 궁극적으로는 그 자신이 '사람들, 특히 젊은이들이 다가오고 싶어지는 어른'으로 되는 것이에요. '아집'이 엷어지는 어른이 되는 것이 성공하는 인생을 만드는 핵심입니다.

Q. 사람은 왜 일을 하나요?

아주 중요한 질문이에요. 깊이 연구한 바가 없어서 평소 생각하던 것을 말해 보겠습니다.

① 사회가 분화되고, 생산력이 향상되면서 '노동'이 객체화된다. 거래의 대상이 된다.

② 노동의 성격이 한 사회의 성격을 대표한다. 예컨대, 노예노동·농노의 노동·임금노동 등

③ 노동은 신성한 것이 아니다.

④ 5세 이전에는 일(노동)과 놀이(유희)가 분리되지 않는다.

⑤ 만일 일과 놀이가 분리되지 않는 성격과 문화를 지속할 수 있다면, 그것이야말로 세상을 근저로부터 바뀌게 할 것이다.

⑥ 그전이라도 노동이 즐거우려면, 상품으로서 경쟁을 강요당하는 것으로부터 적어도 '자기실현의 노동'으로 되어야 한다.

⑦ 자기실현과정으로 되기 위한 조건은 '자발성', '전념', '즐거움'이 보장되는 것이다.

⑧ 그 실험의 장의 하나가 협동생산이 되기를 바란다.

⑨ 유년기 교육부터 일과 놀이가 분리되지 않는 교육과정은 어떻게 가능할까?

왜 일을 할까요? 사람들은 먹고살기 위해 일하는 것은 너무 당연하다고 생각해요. 당연할까요? 어떤 동물도 먹고 살기 위해 인간처럼 일하지 않아요. 고도로 기계화·자동화되면 '일'하지 않아도 먹고 사는 것이 가능하게 될 것이에요.

이제 이 질문을 할 때가 점점 되어 가고 있습니다.

사 랑
이 해 하 기

Q. 인간을 진정으로 사랑한다는 건 무엇인가요?

'사랑'이란 말처럼 많이 접하는 단어도 없는 것 같아요. 진정으로 사랑한다는 것은 과연 무엇일까요? 인간을 사랑한다는 것에 관해 물어보셨지만, 인간의 사랑이 무엇인가에 대한 답으로도 충분할 것 같아요.

진정한 사랑은 '나'를 잊는 상태가 아닐까요? 이런 사랑을 경험하게 하는 두 개의 통로를 말하자면 다음과 같을 것입니다. 첫째로는 자식에 대한 부모의 사랑이에요. 불이 나서 고층 아파트에서 뛰어내리면서, 품에 안은 자식은 살리고 본인은 죽었다는 아버지에게서 보이는 '사랑'이에요.

또 하나는 남녀 간의 사랑인데, 사랑에 빠지면 감성이 해방되는 경험을 한 적이 있을 거에요. 평소에 보던 풍경이 매우 아름답게 다가오고, 대수롭지 않던 음악이 심금을 울리고, 주위 사람들이 정겨워지는 경험을 했다면, 진정한 사랑을 경험한 것이라고 보아도 좋을 것 같아요.

이 두 가지 통로를 통해 사랑의 힘을 기르면 좋을 것입니다. 부모와 자식 간의 사랑, 남녀 즉 애인이나 부부의 사랑이 가족 속에 갇히지 않고 확장될 때, 비로소 진정한 사랑을 하게 된다고 생각해요.

Q. 나 자신을 사랑해야 비로소 남을 사랑할 수 있다고 하는데, 그럼 자신을 사랑하는 방법은 무엇인가요?

사랑은 그 출발과 목표가 '받아들임'이에요. 내가 원하는 방향으로 끌고 가는 것은 집착이지 사랑이 아니에요. '받아들임'의 시작은 그 대상이 우선 자기 자신이에요. 자신에게 주어진 환경이나 조건을 받아들이는 것이지요. 오해 없이 듣는다면 '분수'를 알고 받아들이는 것이에요. 분수의 참된 의미에는 상하上下나 우열優劣의 관념이 없어요. 불평등한 사회 속에서 잘못된 관념이 우열을 심어 놓았어요. 이 우열감에서 벗어나 자기의 지닌 맛을 그대로 받아들인다면, 그 과정에서 불평등한 수직 사회에서의 왜곡되어온 관념에서 해방된다면, 자신을 사랑할 수 있게 될 것이에요.

예를 든다면 자기가 잘할 수 있고, 편한 일이 자신이 '지닌 맛'에 가깝다고 볼 수 있어요. 그런데 이 일을 할 수 있으면 좋은데 하고 싶은 일은 다른 일인 경우가 있지요. 자신이 '지닌 맛'과 관계없이, 우열감에 왜곡된 관념이 그렇게 하는 경우가 많아요. 자신은 목공 일이나 집 짓는 일을 잘하고 그 일을 할 때가 편한데, 예를 들어 주위의 시선이나 부모의 희망 등 사회적 통념에 영향을 받은 왜곡된 관념 때문에 하지 못하거나, 또는 마음속으로 원하는 일이 다를 때, 자신을 사랑하기가 어려운 것이에요. 또 자신의 처지나 조건에 대한 비교열등감 때문에 힘이 들 때는 연습의 기회라고 할 수 있어요. '자기의 모든 것을 통째로 받아들이라! 그곳에는 상하上下도, 좋고 나쁨도 우열도 없다!'

그것이 사랑의 시작이에요.

Q. '사랑에 빠졌다.' 라는 것을 어떻게 알 수 있나요? 남녀 간의 사랑의 핵심은 무엇인가요? 남녀 간에 섹스는 왜 해야 하는가요?

나는 청년 시절에 연애한 경험이 거의 없어요. 그래서 대학생 정도의 청년들에게 그 시절의 사랑에 관해 이야기하는 것은 실감이 없지요. 대학 때 유일하게 연애편지를 한 번 써본 적이 있었는데, 뭐 논문 비슷한 것 같았을 것입니다.

남녀가 서로 끌리는 것은 생명의 신비와 닿아 있어요. 이러한 끌림은 본능이에요. 그리고 육체적 결합을 통하여 생명의 탄생으로 이어져요. 청춘의 가장 아름다운 동경도 끌림에서 시작되요.

공자는 말합니다. '나는 이성(색)을 좋아하는 것만큼 덕을 좋아하는 사람을 본 적이 없다.'

석가가 말한 것으로 기억되는데, '이것(섹스)이 하나이기 망정이지, 둘이었다면 도를 닦을 사람이 없었을 것입니다.'

섹스는 너무나 당연한 본능적 욕구에요. 금욕은 미덕이 아니지요. 다만 이러한 끌림이 동물 일반의 암수의 결합과 다른 것은 '인간의 사랑'이라는 것이에요. 동물계로부터 인간의 출현이 하나의 우주적 비약이라면, 그것은 남녀의 사랑에 그 '인간'의 특성이 가장 잘 나타나는 것에요. 이것이 없으면 그것을 '사랑'이라고 부를 수 없어요.

사랑은 온전히 주는 마음을 경험하게 합니다. 이것은 축복입니다.

사랑은 자신의 아집을 깨지게 합니다. 이것이 결혼의 축복입니다.

사랑은 연민입니다. 일생을 해로하는 남녀 사이에는 이 '연민'이 있어요. 청춘의 열정, 육체에 관한 이끌림을 지나서, '연민'으로 이어지는 것이 사랑이 아닐까 생각해요.

제 느낌인데, 주위 사람들이 모두 정답게 느껴지면, 그(그녀)를 진짜 사랑하는 것이에요. 늘 보던 풍경이 선명하게 다가오면 사랑에 빠진 것이지요. 그(그녀)와의 사랑이 더 넓고 깊은 곳을 향한 통로에요. 감성을 해방해요.

그렇지 않으면, 자기중심적 집착이거나 육욕에 지나지 않아요. 진정한 사랑과 결합할 때만 아름다운 '인간의 섹스'가 될 것이에요.

Q. 고독이란? 고독을 사랑하는 방법은? 고독을 사랑하면 어떻게 되나요?

고독을 힘들어하는 사람들도 있고, 고령화 사회가 되면서 '고독사孤獨死'가 심각한 사회문제가 되기도 하지요. 인간은 태어날 때도 혼자이고, 죽을 때도 혼자여서 원래가 고독한 존재라는 말도 있고, 따라서 고독을 피하려 하지 말고 받아들여서 사랑하라는 말이 그럴듯하게 들리기도 해요.

물론 그런 말이나 관점이 위로가 되는 것이 나쁘지는 않겠지만, 고독은 인간의 본래 모습이에요. 따라서 고독을 사랑하라는 것은 인간존재의 실상과 괴리가 있는 전도된 것이에요.

'산은 산이고 물은 물이다.'는 선불교의 화두가 있어요. 우리가 보통 경험상으로 느끼는 세계는 '나는 나고, 너는 너다.'는 분리 독립된 단독자의 세계에요. 그런데 조금 실제의 세계를 들어가 보면 그런 단독자는 존재하지 않아요.

'산은 산이 아니고, 물은 물이 아니다.' 요즘은 선가의 깨우침이 아니더라도, 모든 사물이 일체의 한 부분이라는 게 과학적인 상식이 되고 있어요. 단독자라는 것이 실제와 유리된 관념이에요. 물론 현실 세계에서는 다시 '산은 산이고, 물은 물' '나는 나, 너는 너'의 세계로 나와요. 그러나 이때의 '나'는 고독한 단독자單獨者로서의 '나'가 아니에요. 무분절無分節을 통과한 전체의 현현자顯現者로서의 분절자인 것이지요.

이러한 '나'가 '참된 나'다. 약간 어렵게 느껴질 말들이지만, 초점은 인간은 본래가 고독한 존재가 아니라는 것이에요. 그런데도 고독을 느낀다면 그것은 두 가지 면에서 잘못되어 있는 것이에요. 우주자연계의 질서에 맞지 않는 현실의 인간 사회의 질서와 사실과 괴리된 인간 관념이에요. 이 둘이 서로 물고 물려 있는 것이지요.

근대가 억압된 개성을 해방하는데 크게 나아왔지만, 물신 지배와 이기주의를 심화시켜 차가운 개인 중심의 사회로 되다 보니, 이런 전도된 관념과 현상이 마치 실재에 바탕을 둔 것처럼 생각되는 것이에요. 따라서 '고독'을 사랑할 것이 아니라 세계와 인간의 실상에 눈떠 그 웅대한 '우아일체(宇我一體 : 우주 만물과 내가 하나임)'의 신비를 사랑해야 할 것입니다.

이렇게 되어, 실제로 하나인 세계, 즉 모든 사람이 모든 사람을 위해 존재하는 세상을 만들어가는 것이 실상에 부합하는 삶이에요. 물론 약하디약한 사람으로서 때로는 고독을 받아들이고 그것에 순응하기 위하여, 여러 가지 위로가 되는 견해나 말들, 예술작품들을 활용하기도 해요. 그것을 인정하기는 하지만, 나는 그런 미봉적인 방법을 권하고 싶지는 않아요.

청년이라면 존재의 실상을 향하여 그 실상과 어긋나는 현실, 그리고 관념에 맞서 당당하게 나아가는 것이 좋다고 생각해요.

"하나인 세계, 하나인 인류를 사랑하라!

또 그 세계를 구체적으로 구현하는 삶의 기쁨을 만끽하라!

그 과정에 '고독'은 없다."

이런 말이 별로 귀에 들어오지 않을 때가 많을 것이에요. 외톨이가 된 느낌, 엄습하는 고독감 때문에 힘들어하는 사람에게는 '사람은 다 그런 것, 고독을 사랑하라!' 는 말이 훨씬 마음을 가볍게하고, 위로가 될 것이에요. 그것을 깎아내릴 생각은 전혀 없어요. 그런데 고독을 어떻게 사랑하는가? 고독은 사랑할 수 있는 대상이 아니에요. 왜냐하면, 고독은 실제로 존재하는 것이 아니기 때문이지요. 고독을 사랑하는 것처럼 느낄 때조차도, 사실은 '세상과의 불가분리의 일치'를 사랑하고 있는 것이 아닐까요? 죽음마저도….

호연지기浩然之氣를 가져라!

"천하의 넓은 곳에 머물고, 천하의 바른 자리에 서며, 천하의 큰 길을 간다." 사람들이 나를 알아주면 함께 하고, 알아주지 않을 때는 혼자라도 그 길을 간다는 맹자의 말입니다.

PART 02

마 광 수 교 수 님 (연 세 대 국 문 학 과)

"

'나는 해 본다'

하지 않고 후회하는 것보다,

일단 한번 해보고 나서 후회하는 편이 낫다.

"

Q. 섹스를 어떻게 바라봐야 하나?

섹스는 인간에게 너무나도 중요한 것이에요. 최고의 행복은 섹
스라고 생각해요. 진화심리학에서도 인간의 가장 큰 원동력은 '섹
스'라고 얘기해요. 인간만 젖가슴이 나왔는데 섹스를 위해 부푼 것
이며, 입술은 키스를 위해 두꺼워진 것이고, 코가 우뚝한 것은 스
킨십을 위한 것이라고 말이죠. 동물은 수놈이 야해요. 인간도 원
래 그랬어요. 그래서 그리스 시대 때 미소년하고 연애하는 것을 반
대하지 않았었죠. 공작새 수놈은 날개를 활짝 펴는데, 이는 포식
자에게 빨리 눈에 띄는 행동이에요. 그럼에도 공작새는 날갯짓하

27

죠. 암컷과 섹스하기 위해서 말이죠. 섹스는 우리의 마지막 목적이에요. 섹스의 원동력은 종족보존의 욕구죠. 요새 강조되는 진화심리학에서는 야한 유전자가 살아남는다고 해요.

우리나라에서는 '성'이라고 하면 더러운 것이고, 어쩔 수 없이 하는 것이라는 인식이 강해요. 그렇다면 언제 섹스를 하느냐? 애를 만들 때만 하라는 것이에요.

제가 늘 강조하는 것은 쾌락을 위한 '섹스'에요.

Q. 섹스와 인권

섹스를 즐기는 것을 인권으로 이해하는 사회일수록 자유민주주의와 사회복지제도가 발달해 있어요. 문화적으로 낙후된 사회일수록 '섹스'란 말만 나와도 좌중이 기겁하고, 그 말을 꺼낸 사람은 공개적으로 멸시받죠.

성에 대한 결벽증, 성 알레르기 현상은 인간의 자연스러운 창의력을 억압하는 것은 물론, 비합리적인 문화 풍토를 조성하는 데 일조하게 돼요. 섹스를 금기시하는 사회에서는 자연히 성과 관련된, 혹은 그것을 연상시키는 단어들을 비속어로 매도해요. 성 담론을 어딘가 고상하지 못하고 천박한, 심지어 죄스러운 것으로 몰아세우죠.

개인의 쾌락 추구라는 시대적 대세는 이미 그 누구도 거스를 수 없는 시대의 가치가 되었어요. 동구와 구소련이 무너질 수밖에 없었던 것도 따지고 보면 개인의 쾌락을 국가적 차원에서 억압했기 때문이에요. 이제 이념은 인간의 머릿속에 도사리고 앉아 그저 고상하게 인간을 지배할 수 없게 되었어요.

제가 섹스를 인권과 연결해 굳이 논의하는 것은, 그 사회가 문화적 촌티에서 아직 벗어나지 못했음을 스스로 고백하는 것과도 같아요. 성에 대한 표현과 논의의 자유가 보장될수록, 개개인의 인권 역시 만개하였던 문화적 선진국들의 역사를 상기해 볼 필요가 있어요.

Q. 성을 금기시하는 사회

외국 사람들은 나처럼 문학에서 섹스를 꺼내면 잡혀가는 우리나라의 현실에 대해 깜짝 놀라요. 한국의 밤 문화는 세계 최고 수준이면서 말이죠.

우리나라에서 판매금지 되었던 저의 책 '즐거운 사라'가 일본에서는 베스트셀러가 되었어요. 일본은 역사적으로 원수지만 문학만은 인정해줘야 한다고 생각해요. 제가 교도소에 잡혀갔을 때, 저 자신이 부끄러운 것이 아니라 우리나라가 부끄러웠어요. "한국이라는 나라가 이 정도다." 라는 걸 보여주는 일이었기 때문이었어요. 아직도 합리주의 정신이 정착하지 못한 사회는 민주주의 사회가 아니에요. 우리나라는 표현의 자유가 없어요. 헌법이 있으나 단서가 붙어있어요. 표현의 자유는 주되 '성'은 제외되죠.

우리 사회가 성을 금기시하게 된 건 '기독교'와 '유교' 때문이라고 생각해요. 기독교와 유교는 성에 이중적입니다.

중세교회의 타락은 엄청났습니다. 기독교는 마녀재판 시 재판관들이 여자들을 다 탐했어요. 신부와 수녀들이 밤마다 섹스하고 별짓을 다 했어요. 신부들은 밤에는 실컷 즐기고, 설교할 때는 섹스를 하지 말라고 했어요. 유교도 마찬가지예요. 남자들은 첩을 여러 명을 두면서 여자는 순결과 정조를 지켜야 했습니다. 철저히 여성차별이에요.

현재 우리나라는 이러한 유교사상에 미국의 초기 기독교가 우리나라 기독교를 잡고 있어요. 우리나라는 19금 영화는 아무렇지 않게 보아도 19금 책은 어쩔 줄 몰라 해요. 일본 문학은 노벨상을 2개나 탔어요. 일본은 표현의 자유를 철저히 주기 때문이에요. 또 성범죄의 발생률이 우리나라의 10분의 1로 아주 낮아요. 유럽도 마찬가지예요. 포르노, 성매매를 합법화하여 인간의 본능의 퇴출구, 즉 하수구를 뚫어주니 구정물이 안 나오는 것이죠.

Q. 윤동주 시인을 연구하게 된 계기

윤동주 시인은 그때 쓴 것을 지금 읽어도 어렵지 않아요. 시를 쉽게 썼기 때문이죠. 내 시 또한 술술 읽혀요. 한 문장을 두세 번 읽게 만드는 작품은 좋지 못하다고 생각해요.

간단하게 쓰려면 퇴고를 엄청나게 해야 해요. 리듬을 맞춰야 하기 때문이에요. 그 시절에 윤동주만큼 쉽게 쓴 사람이 없어요. 서정주도 이상한 사투리를 쓰며 비비 꼬죠. 이상 또한 마찬가지예요. 알아먹지 못하는 시를 쓰는데 왜 유명해졌는지 아직도 잘 모르겠습니다만, 유추해보자면 우리나라 사람들의 이상한 영웅 심리 때문이라고 생각해요. 남들이 알아듣지 못하면 더 있어 보이는 심리가 있는지, 글을 쉽게 쓰려고 하지 않아요. 어렵게 쓴 것, 즉 기문을 좋아하죠.

제가 연구한 바로는 쉽게 쓰인 시가 윤동주의 시가 유일해요. 한자로 쓴 것도 없고 상징적 의미가 쉽고 깊어요. 윤동주는 상징을 중요시했어요. 하늘, 바람, 별과 같은 상징을 사용하는 상징요법을 사용했어요. 상징의 특징은 다양한 해석을 가능하게 해요. 예를 들어서 빨강은 피, 저녁, 노을이라고 생각할 수 있죠.

Q. 진짜 민중문학, 육체주의 문학

저는 육체주의 문학만이 진정한 문학이라고 봅니다. 그것을 실천하고자 노력해요. 우리나라 문학계는 도무지 자유로운 개성과 돌출적 변화를 인정하려 들지 않아요. 아직도 양반주의나 훈민주의의 문학관이 당연시되고 있습니다. 독창적 광기나 솔직한 노출은 '모난 돌'이 되어 정을 맞고 있는 현실이죠. 더 민중적인 대중문화와 '하수도 문화'에 대한 턱없는 멸시와 탄압은, 그런 수구적 봉건 윤리에 기인한 문화적 후진성에서 비롯된다고 생각해요.

육체주의 문학은 진짜 민중문학입니다. 이理와 기氣의 추상적 관념으로, 귀족적인 말놀이만 되풀이했던 양반문학의 재탕인 한국의 주류문학에 반발합니다. 지금까지 진보주의자들이 내세웠던 민중문학도 가짜입니다. 사실 건방진 엘리트 의식과 선량 의식에 기반을 둔 계몽주의이자 교훈주의 문학에 불과했어요.

육체주의 문학은 고급인 상수도 문학이 아니라 저급한 하수도 문학이요, 인간의 본능적 욕구를 카타르시스 시켜주기 위한 문학이에요. 우리 민중들의 진솔한 놀이정신을 가지고 대중적 예술을 이끌어간 표현 수단인, '외설'과 '해학'과 '의도된 경박성'을 기본 패러다임으로 삼아요. 한국의 경직된 문화풍토는 상상과 현실을 혼동하고, 허구와 사실을 구별하지 못하는 촌스러운 수준에 머물러 있어요. 문학은 그 안에 사상적 메시지가 있어야 하고, 무언가 '고상한 것'이어야 하고, 일종의 권선징악이어야 한다고 주장하는 답답한 엄숙주의자들이 판을 치고 있죠.

그들은 세계화를 불가능하게 하고, 결국에 가서는 표현의 자유를 억압하게 해요. 아직도 대다수의 보수적 문학인들은 문학창작을 봉건시대 때나 있었던 과거시험 답안 정도로 생각하고 있어요. 그때는 '문장'으로 정치적 자질을 테스트했고, 문장을 잘 쓰면 금세 출세가도를 달릴 수 있었지만, 문장의 내용은 무조건 유교적 지배 이데올로기였어요.

문학의 참된 목적은 지배 이데올로기로부터의 탈출이요, 창조적 일탈이에요. 문학은 인간 내부에 있는 본능적 욕구들을 사실적으로 드러내어 그것을 솔직하게 표현할 수 있을 때 참된 가치를 지녀요. 사상이나 도덕 따위는 철학책이나 윤리 책에 그 소임을 맡기면 되죠.

Q. 우리나라의 위선적 도덕주의와 문학

한국의 현대문학이 이광수 이래로 고수해온 도덕적 전통이, 한국 소설을 정체시키고 답보시켜온 한 가지 원인으로 작용했다는 사실을 인정해야만 해요. 위선적으로 고착된 도덕주의와 경건주의, 그리고 문학작품을 통해 작가의 인격이나 가치관을 저울질해보려는 태도는, 작가들의 상상력과 사회적 입지를 위축시켜 그들을 이중인격자로 만들어버리기 쉬워요. 문학이 근엄하고 결백한 교사나 사제의 역할, 또는 혁명가의 역할까지 짊어져야 한다면, 문학적 상상력과 표현의 자율성은 잠식되고 말 것이에요. 작가들은 저마다 살아온 배경이 다르고 가진 생각과 세계관이 다른 만큼, 다양하고 창의적인 문학적 표현은 마땅히 존중되어야 해요. 제가 쓰고 있는 야한 것에 제재를 가해야 한다는 발상은, 우리 사회를 획일적 윤리 기준에 묶어두려는 독선이고 전체주의적인 발상에 다름없어요. '즐거운 사라'에 씌워진 음란물이라는 혐의를 벗기려는 나의 노력은, 문학적 상상력과 표현의 자율성을 확보하고 지키기 위한 싸움인 셈이죠.

Q. 우리나라 문학과 예술이 지향해야 할 방향

쾌락주의로 가야 합니다. 모든 예술은 교훈주의나 쾌락주의로 나뉘어요. 저는 쾌락주의죠. 쉽게 말해 '재미' 그리고 '대리만족(카타르시스)'이지요. 우리나라의 문학은 대부분 교훈주의(경건주의, 엄숙주의) 밖에 없어요. 교훈주의자들은 문학이 신성하다 말해요. 문학이 뭐가 신성합니까? 셰익스피어도 당시에 먹고 살기 위해 문학을 하고 재미를 위해 문학을 하였어요.

문학가들은 사회지도자가 아니라 엔터테이너이고 글쟁이라는 인식이 있어야 해요. 표현의 자유에 한계를 두지 말아야 해요. 그리고 법에 단서조항을 없애야 해요. 미국과 일본은 단서조항이 없어요. 미국에서 성조기를 불태우는 퍼포먼스를 한 적이 있어요. 근데 무죄 판결을 받았어요. 우리나라였다면 국기모독죄가 성립됐을 것이에요. 미국을 지탱하는 힘이 '표현의 자유' 인만큼 표현의 자유는 아주 중요해요.

모든 사람의 삶을 '정치적 삶'이나 '종교적 삶'으로부터 '놀이적 삶'으로 돌려놓는 일을 문화인이 맡아줘야만 해요. 일과 놀이가 구별되지 않고 한데 합치될 수 있을 때 비로소 인류는 평화를 향한 올바른 비전을 획득할 수 있다고 생각해요.

헤르만 헤세가 '유리알 유희'라는 미래소설에서 예측했던 것처럼, 모든 사람이 '유희의 대가'가 될 수 있을 때 인류는 그 파멸을 막아낼 수 있어요. 정치도 유희가 되고, 종교도 유희가 되어야 해요. 원래 종교나 정치는 인간이 가지고 있는 유희본능이 잘못 굴절되어 나타난 현상이에요. 개인적 콤플렉스가 공적 콤플렉스로 환치되고, 그것이 그럴듯한 이론의 체계를 가질 때 이데올로기나 종교는 인류를 재앙으로 몰아넣어요. 종교가 필요 없는 사회 정치가 필요 없는 사회가 될 수 있게 하는 데 모든 문화예술인은 총력을 기울여 나가야 해요. 민족주의도 필요 없고 인종주의도 필요 없어요. 오직 '인간'만이 존재할 뿐이죠. '행복'이라는 것은 결국 '유쾌한 놀이'로만 가능해요.

Q. 도전할 때 가져야 할 태도

나폴레옹은 "내 사전에 불가능이란 없다." 라는 유명한 말을 남겼죠. 그런데도 러시아 원정에 실패했고, 워털루 전쟁에서도 패배하여 세인트 헬리나 섬에 유배당하는 신세가 되었어요.

이 세상에 '불가능한 일이 없다'는 말은 있을 수 없어요. 우리는 확실한 전망이 보여서 시작한 사업에서도 실패하는 일이 많고, 전혀 예기치 못했던 재난이나 질병으로 어이없이 거꾸러지는 수도 많아요.

나폴레옹이 한 말은 '신념'의 중요성을 과장하여 강조한 말일 겁니다. 신념 그 자체가 미래의 성공을 무조건 보장해 주지는 않죠. 신념의 힘만 믿고 큰소리쳤다가 만약 실패로 끝나면, 과도한 희망은 과도한 절망을 낳을 뿐이에요.

그래서 저는 '나는 해 본다'의 자세로 매사에 임하는 것이 훨씬 더 바람직하다고 생각해요. 하지 않고 후회하는 것보다, 일단 한번 해보고 나서 후회하는 편이 낫다고 생각해요. 무슨 일이든 일단 시작해 놓고 봤으면 좋겠어요. 하다가 안 되면 언제라도 다시 또 시작하면 되니까요.

Q. 행복해지는 방법

인생은 누구에게나 글자 그대로 고해의 연속이에요. 평생 행복한 상태로 보내는 사람은 아무도 없죠. 제가 보기에 행복이란 것은 지극히 순간적으로 느껴지는 감정에 불과해요. 그러니까 오랫동안 억압되었던 욕구가 어떤 계기로 충족될 때, 그때 우리는 순간적인 행복감을 경험하게 돼요.

예를 들어, 고등학교 3학년 학생이 온갖 욕구를 억누르고 대학입시 공부에만 매달리다가 합격했을 때, 그 학생은 크나큰 행복감에 휩싸이게 되죠. 즉 합격 자체에서 오는 것이기보다, 그때까지 억눌러왔던 욕구들을 이제 마음껏 분출시킬 수 있을 것이라는 기대감 때문이에요.

그러므로 우리는 행복한 상태를 유지하기 위해서 쓸데없이 애쓰지 않는 편이 나아요. 우리 일생이 불행과 고통의 연속이라는 사실을 인정하고서, 삶을 살아가는 편이 낫죠. 순간적인 행복감을 계속 만들기 위해서는, 끊임없는 투기와 모험이 연속되어야 하기 때문이에요. 행복은 적극적으로 달려나가는 태도에서 오는 것이 아니라, 고통의 회피를 끊임없이 도모하는 자세와 밀접합니다.

Q. 청춘에게 한 마디

저는 신춘문예에 열심히 응모했지만, 번번이 미끄러졌어요. 저는 고등학교 때부터 '긴 손톱'을 다루며 아름다움을 최고의 가치로 여기는 유미주의를 지향했어요.

처음 쓴 소설이 '손톱'이란 짧은 단편이었습니다. 대학 1학년 때 어느 신문의 신춘문예 작품으로 투고했어요. 당선작이 발표되고 심사 후기를 들어보니, 내 작품이 당선작과 함께 끝까지 남아 어떤 작품을 당선시킬까 고심했다는 얘기가 있었어요. 자세히 알아보니 야하고 상스러운 표현이 많다는 이유로 내 소설이 탈락하게 된 것이었어요. 참으로 속이 상할 수밖에 없었죠.

그 이후로 소설, 시, 평론 등 닥치는 대로 응모했어요. 그런데 다 최종심사까지 올라가긴 하는데 결국 모두 낙방이었어요. 제가 대학원 졸업 후, '배꼽에' 등 여섯 편의 시가 박두진 선생에 의해 현대문학에 추천되어 문단에 나올 수 있게 되었어요. '설쳐가며 노력하지 않고 가만히 앉아서 때가 오기를 기다린다.'라는 것이 나의 생활철학이라면 철학인데 작가로서의 데뷔 경로 역시 그러한 원칙을 좇은 셈이죠. 만약 데뷔 기회가 내게 더 빨리 왔다면 더 많은 작품을 쓸 수 있었겠지만, 그렇다고 해서 별 아쉬움 같은 걸 느끼게 되지는 않아요. 저는 젊은 청춘들에게 "모든 것을 느긋하게 생각하려고 애쓰면서 기회가 오기를 차분히 기다려라." 라고 말하고 싶어요. 감이 떨어지길 기다리며 감나무 아래에서 입을 벌리고 누워 있는 식의 자세도 때로는 필요해요. 감을 빨리 따보겠다는 욕심으로 성급하게 나무에 기어 올라가다 보면, 나무에서 떨어져 몸을 다칠 가능성이 많기 때문이죠.

PART 03

－
한 문

학

－

김언종 교수님 (고려대 한문학과)

"

잘 나갈 때 자만하지 말고

밑바닥 길 때 절망하지 마라!

"

한문학은
무엇인가?

Q. 한문학은 어떤 것을 연구하나요?

우리나라 역사로 치면 신라의 최치원 때부터 오늘날에 이르기까지 수많은 선현先賢들이 한문으로 표현해 놓은 글들을 연구 대상으로 합니다. 그중에 문학이 주를 이루지만, 넓은 의미에선 한문으로 작성된 모든 자료가 한문학의 연구 대상이에요.

연구 대상이 지니는 이러한 시간적인 가치가 굉장히 중요합니다. 이 시대에 한문학을 경시하고 천시하고 가벼이 한다면, 결국 오랜 세월에 걸쳐 조상들이 쌓아놓은 다보탑, 석가탑 같은 문화유산을 포크레인으로 무너뜨리는 것과도 같습니다. 너무 안타까운 일이지요.

Q. 한자와 한문이 지니는 의미란?

우리 민족이 한문으로 사상과 감정을 표현한 지 대략 2천 년쯤 되지요. 거기와 비교하면 국한문 혼용의 역사가 100년 정도이고, 순 한글 사용은 4~50년도 안 됩니다. 그 시간의 누적이 얼마나 큰 차이가 납니까. 한자와 한문을 이미 2천 년 쓰다 보니까 우리가 쓰는 단어의 70~75% 정도가 한자어에요. 애국가 하나만 봐도 전체 가사에서 한자로 표현된 비중이 상당합니다. 한자를 한글로 고쳐 버리면 의미를 알 수가 없는 경우가 많지요.

역사적으로 2천 년 동안 영향을 받았기 때문에, 우리가 강한 민족정신을 발휘해서 한자 문화권과 떨어져 나가려 해도 최소한 수백 년의 시간이 걸릴 것 같아요. 서서히 빠져나가야지, 갑자기 빠져나가면 부작용이 크다는 것이 제 생각입니다. 더 솔직히 말씀 드리면 한자문화권에서 빠져나가려는 시도는 어리석은 일이라고 생각합니다.

그렇다면 현재의 언어생활에서 한자 교육의 병행은 필연적일 텐데, 한자 교육을 단기간에 쉽게 접하기는 어렵습니다. 다만, 어렸을 때부터 조금씩 배우는 방법밖엔 없는 것 같아요. 그런데 그동안의 경험으로 보니까, 한 2천 자만 배우면 조금씩 글자들을 조합해보면서 국한문 혼용체는 대부분 이해할 수 있더군요. 옛날에는 7~8살 때부터 천자문 다 외웠고 10대 초반 되면 2천 자 쓰니까, 평생 자유자재로 쓸 수 있는 바탕이 되었지요.

그러니까 유아 때부터 조금씩 가르치는 방법이 제일입니다. 요즘은 옛날과 달리 무턱대고 외우는 것 보다 과학적인 공부 방법이 많이 나와 있어요. 이걸 좀 활용해서 배우면 되지 않을까. 공부에는 왕도가 없거든요. 한문 배우는데도 왕도가 따로 있는 건 아니에요.

Q. 고전을 번역하는 것이란

옛날에는 한문이 국어였기 때문에 누구나 어릴 때부터 한문을 배웠고 책을 이해할 수 있었죠. 하지만 언문 즉 한글이 만들어진 것은 조선 초이지만 지식인들은 사용하지 않았고, 부녀자들이나 상민들이 주로 사용했지요. 하긴 세종대왕께서 어리석은 백성들을 위하여 만드셨다고 제작의 취지를 스스로 말씀하시기도 했지요.

하지만 이제는 한글 전용 시대가 되어서 한문을 전혀 배우지 않으니까, 과거 오랫동안 조상들이 써놓았던 기록을 한글로 번역하지 않으면 도저히 이해하지 못하는 상황이 되었습니다. 고전의 번역은 이러한 필요성에서 기인합니다.

오랫동안 우리 조상들이 남긴 서적들이 매우 많습니다. 이러한 문화유산들이 대부분 한문으로 작성되어 있으니, 번역하지 않으면 자칫 민족 사상사의 단절이 야기될 수 있지 않을까요? 결론적으로, 고전 번역은 우리 민족의 유구한 사상의 흔적을 더듬어보고, 그 과정에서 고전의 숨은 의미를 조금씩 발굴해 보전하는 작업이라 할 수 있습니다.

한문학 속에 담겨있는
사상에 대하여

Q. 한문학과 유학은 어떤 상관관계가 있나요?

옛날에는 한문학을 하건, 유학을 하건 간에 한자를 기본으로 배워야 해요. 한문학을 하는 많은 학자가 한문을 배울 때 대부분 유학에 해당하는, 이른바 사서삼경四書三經 혹은 십삼경十三經이라고 부르는 그런 책들을 가지고 배웠어요. 그러다 보니 한문학을 하는 사람들은 유학이라는 계단을 다 통과해야만 한문학을 자유자재로 표현할 수 있는 단계에 이를 수 있었습니다. 이래서 뗄 수 없는 관계라는 거죠. 그리고 한문학에서 쓰는 용어들이 대부분 유학의 경서 속에 나와요. 그러니까 불가분의 관계에 있다고 볼 수 있죠.

Q. 유학에서 말하는 삶의 의미는 무엇인가?

유학도 신이 우주를 창조했다는 걸 믿습니다. 특히 우리나라에 큰 영향을 끼친 정자程子 주자朱子의 신유학新儒學에 의하면 신이 우주와 인간을 만들어놓고는 더는 역사役事하지 않는다는 것입니다. 극단적으로 말하면 '너 스스로 살아라.' 라는 것이지요. 그 이전에 신神은 자신의 능력을 인간들에게 공평히 나눠줘요. 그것을 애써 문자로 표현하자면, 仁인, 義의, 禮예, 智지 라 하지요. 이것을 누구에게나 나눠주었기에 사람이면 누구나 가지고 있는 기본 품성이라 할 수 있습니다.

인간은 이것을 심화시키고 완성해야 한다는 것입니다. 이런 임무가 인간에게 주어져 있다는 거예요. 기본 품성을 극대화해서 발현하면 성인이 되고, 이것을 못하고 그저 이기적으로 살면 소인이 된다는 거예요. '군자와 성인은 영원히 편할 것이고, 소인은 영원히 불안할 것이다.' 이런 체계가 신유학이지요. 전체적으로 보아 유학이 다른 종교와 다른 점은, 원죄가 없고, 누가(신) 봐주는 게 없어요. 유학에선 자기 자신이 가장 중요합니다. 그러고 보니 제일 믿기 힘들고 어려운 게 유학이라 볼 수도 있겠네요. 세상에 극기克근보다 어려운 게 무엇이 있겠습니까?

결국, 유학에서 보는 삶이란 인·의·예·지를 최대한 잘 발현하며 살아가는 모습일 것입니다. 근데 이걸 다 합치면 결국 인仁 하나로 귀결됩니다. 너와 나 사이에서 최선을 다하는 게 인이라고 합니다. 공자도 인이 무어냐는 제자들의 질문을 받고 여러 가지의 대답을 했지만 '愛人애인', 즉 남을 사랑하라는 말이 핵심입니다. 원수도, 미운 자도 다 사랑하라는 거예요. 자기도 살고 남도 살아가는 게 중요하다는 것입니다.

모든 인간관계에서 최선을 다하라는 말을 부연하면, 교수로서 열심히 수업하는 게 인이고, 학생은 열심히 배우는 게 인인 것입니다. 각자 주어진 위치에서 최선을 다하는 것이지요. 이는 명분을 다하자는 말이기도 합니다. 이게 유학의 핵심내용인 '명분주의名分主義'예요. 아버지, 임금, 어머니, 자식 다 명칭이 있잖아요? 그게 명名이고, 분分은 직분이거든요? 지도자가 할 일, 시민이 할 일, 아버지가 해야 할 일, 자식들이 할 일을 다 하라는 것이지요. 그래서 공자가 '군군신신부부자자'라고 했잖아요. 임금은 그 자리에 있으면 임금의 직분을 다하는 것, 아버지는 아버지의 직분을 다하는 것, 독일의 막스베버가 말했던 직업윤리도 이와 같은 거예요. 베버보다 수천 년 빨리 말한 게 공자고요.

이렇게 되면 이 세상이 어떤 세상이 되겠어요? 당연히 모든 사람이 다 좋은 세상이겠지요. 누구나 만족하는 이상세계가 열리지 않겠습니까? 또 사람들이 출세주의를 욕하는데, 출세주의는 원래 은둔주의에 반대말이에요. 세상에 나가서 나의 온 힘을 다하여 세상이 좋아지는 데 힘쓰겠다는 것이 출세주의이고 이를 누구보다도 열심히 실천한 사람이 공자예요. 출세주의의 목표는 돈, 명예를 추구하는 데 있지 않고 공익을 위해 자신을 바친다는 것이지요. 워랜 버핏, 빌 게이츠 이런 사람들은 은연중에 공자의 정신을 실천하고 있는 거예요. 노장사상, 은둔주의하고는 반대 개념이지요.

Q. 소위 말하는 실학이란 무엇이며, 우리 삶에 어떤 의미로 접목시킬 수 있을까요?

'실학實學'의 실實자는 글자 그대로 보면 가득하다는 뜻입니다. 글자를 분석해보면, 맨 위에 있는 글자가 면宀 인데 지붕의 상형입니다. 중간에 있는 것은 이런저런 보물들을 넣어서 옮길 수 있도록 십자 형태로 묶어놓은 상자이지요. 그 밑에 조개 패貝자가 있는데 이는 돈을 의미합니다. 옛날에 특이한 조개가 돈으로 쓰였지요. 이렇게 구성된 이 실이라는 글자의 의미는 큰 집에 금은보화가 가득 찼다는 것이지요. 이것과 반대말은 '虛허'라 그랬어요. '빌 허' 자에 보면 맨 위에 있는 게 '호랑이 호' 자인데 이건 발음에 지나지 않고, 그 밑에 있는 게 '언덕 구' 자가 변한 거예요. 아무것도 없는 텅 빈 언덕. 이게 '허虛'예요. 그러니까 현실적으로 인간의 몸과 마음을 살찌게 하는 것, 충실하게 하는 것. 이게 실학이에요. 허학과 반대가 되는 것이죠.

이 실학이라는 말은 한나라 때 쓰인 실사구시實事求是라는 말에 바탕 한 것이라 합니다. 북송 때 정자程子나 남송 때의 주자가 불학佛學에 대립하는 참 학문이란 의미로 이 실학實學 두 글자를 자주 썼지요.

우리나라에서 말하는 실학이라는 건 철학에 속하는 성리학보다는 경제학, 농학, 경제학, 생물학, 산림학 등 민생과 직접 관련되는 학문을 의미했습니다.

Q. 그럼 현대의 실학과 허학을 구분 지을 수 있을까요?

우리는 항상 어느 시대에나 현실 속에서 살고 있기 때문에, 실학을 하지 않을 수가 없죠. 실학과 허학의 구분이 참 곤란한 게, 오늘날 많은 대학에 많은 과가 있잖아요? 그게 다 현실에 필요해서 있는 거잖아요. 대학에서 가끔 일부 학과를 통폐합한다거나 없애기도 하는데 그것이 실학이 아니라 허학이기 때문이라는 것인데, 가만히 생각해 보면 문제가 없달 수 없지요.

실학이라는 말은 시대에 따라서 변화가 있어요. 조선 후기 때는 이상하게 성리학만이 학문이라는 분위기가 있어서 글공부만 하고 있었는데, 현실적으로 국방이라든지 의학이라든지 농업이라든지 이런 것들은 굉장히 약했거든요. 좋은 머리들이 전부 성리학만 하고 있으니까요.

　다시 한 번 강조하는 바입니다만 우리가 지금 말하는 실학이라는 것은 조선 후기 때 주자의 성리학에 지나치게 기울어서, 이것에 반대하여 나온 학문입니다. 우리가 단편적으로 생각하는 실학에 대한 의미는, 조선 후기 17~18세기의 학문적 풍토라는 전제가 생략돼있는 것입니다. 이러한 전제를 고려해 오늘날을 돌아보면, 지금같이 물질이 풍족하고 인간의 양심이 파괴된 시대엔 오히려 그때 허학으로 몰렸던 성리학이 오히려 실학이 될 수가 있다고 생각해요.

한자에
대하여

Q. <u>한자와 한문의 차이 좀 알 수 있을까요?</u>

한자는 따로따로 떨어진 글자 단위를 기본으로 합니다.

반면, 한문은 문장이에요. 긴 글 같은 것이라고 볼 수 있죠. 본래 한자와 한문은 사실 같은 뜻이었습니다. 그러나 후세에 와서는 한자와 한문이 구별됐죠.

Q. 한자가 불편한데도 지금까지 계속까지 쓰이는 이유는 무엇인가요?

한자가 불편하다는 선입견이 있는데, 사실은 불편한 게 아니에요. 중국에 가면 어린아이들도 다 알고, 자유자재로 써요. 비록 과거에는 획수가 너무 많아 불편해하는 점도 있었지만, 현대에 들어와서는 획수를 대폭으로 줄였어요. 이를 '간화자'라고 합니다. 현재 중국의 글자를 항용 간체자라고 하는데 정확한 용어가 아닙니다. 이를테면 중국 정부에서 획을 줄여서 법적으로 정해준, 그러니까 법적 구속력이 있는 글자가 간화자인 것이지요. 우리나라 여행객들 중국에 가서 당황한 것이 낯선 간화자 때문이지요. 하지만 알고 보면 복잡한 글자를 줄인 거기 때문에 어려워할 거 없습니다. 알파벳이나 한글처럼 발음 부호의 연결보다는 상대적으로 어렵다고 볼 수 있겠지만, 이 역시 나름대로 장점이 있어요. 그걸 다 얘기하긴 곤란하고…. 대표적으로 어떤 글자를 딱 보면 의부(뜻)가 있어서, 글자 모양을 통해 어떤 범주에 속하는 글자인지 이미 반은 알고 들어가는 거예요. 10만 자 정도로 늘어 난 한자 가운데 형부와 성부를 합친 형성자가 95%에요. 흙 토土 자가 있으면 흙과 관계된 거고, 풀 초艹가 들어가면 전부 풀과 관련된 거예요. 물고기 어魚가 들어가면 전부 물고기와 관련된 거지요. 이걸 부수部首라고 하는데, 부수 자를 알면 한자의 반은 알고 들어가요. 그러니까 엄청나게 어려운 게 아니라, 쉽고 재밌는 구석이 더 많아요.

Q. 모든 동양고전이 다 중요하겠지만, 현재 청춘들에게 추천하자면 어떤 것이 있을까요?

저는 딱 한 권만 꼽으라면 『주역周易』을 추천하고 싶어요. 주역의 핵심 이론은 세상이 변한다는 거예요. 한마디로 하면 '잘 나갈 때 자만하지 말고 밑바닥 길 때 절망하지 마라!' 는 거예요. 밑바닥은 높은 곳으로 올라가기 위한 단계이고, 꼭대기는 내려오는 수밖에 없으니 매사에 겸손하라는 메시지가 핵심이지요.

모든 것은 바뀐다. 천한 것이 귀한 것이 되고, 귀한 것이 천한 것이 된다. 인류사회의 이치를 담아 놓은 게 주역이에요. 이외에도 추천할 고전은 많습니다. 이를테면 쉬우면서도 깊은 뜻을 담고 있는 『논어』를 통해, 오늘날 젊은이들이 위대한 지혜를 깨달았으면 합니다.

Q. 20대 청춘들에게 하고 싶은 말씀이 있으시다면?

책 좀 읽었으면 좋겠어요. 요즘 젊은이들 책을 너무 안 읽는 것 같아요. 매일 게임하고, 친구들하고 놀고 술 마시고….

책 속에 간접경험이 있고 모든 위대한 것들 또한 책 속에 다 있어요. 그래서 맹자가 얘기하기를, 한 마을에 훌륭한 사람들과 친하고 난 뒤, 한 나라에 훌륭한 사람들과 친하고, (친구 한다는 건 배우는 겁니다) 그다음에도 배움에 갈증을 느끼면, 죽은 사람들과 친하게 지내라고 그랬어요. 이 말이 뭔 뜻이냐면, 책을 읽으라는 거예요. 이 말을 '상우고인'이라고 해요. 마음만 있으면 언제든지 죽은 사람을 불러내서 대화할 수 있는 거예요. 예수님을 부르고 싶으면 예수님이랑 대화하고, 주자와도 대화하고, 왕양명과도 대화하고. 자기가 맘에 들면 받아들이고, 아니다 싶으면 비판하면서 대화하는 거예요. 이런 좋은 친구들이 어디 있겠어요.

20대 청춘들은 세종대왕이 그랬던 것처럼 눈병이 나도록 책을 읽어야 해요. 항상 눈이 빨갛게 핏줄이 서도록 책을 읽어야 해요.

그야말로 평생 사용하고도 남을 어마어마한 정신적 자산이거든요. 그걸 알았으면 좋겠어요. 지금 청춘들을 이걸 몰라서 너무 가슴 아프지요. 책 속에는 우리가 알고 싶어 하는 것의 99%가 들어 있지 않을까요?

PART 04

–

정　치

평화학

–

이 재 봉　선 생 님　(원 광 대　정 치 외 교 학 과)

"

스무 살에 혁명가 기질을 갖지 않으면

가슴이 없는 사람이고,

마흔 살이 되더라도 그러한 혁명적, 진보적 기질을 가지고 있으면

머리가 없는 사람이다.

"

이념,
이데올로기란?

Q. 이념 이해하기

이념이란, 살기 좋은 세상을 만들기 위한 합리적인 생각을 체계적으로 정리한 것입니다. 누구나 살기 좋은 세상을 위한 의견을 갖고 있어요. 그런 생각들은 학자, 이론가라고 하는 조금 똑똑한 사람들이 체계적으로 다듬어 놓음으로써 만들어지게 돼요. 이것이 굳어지면 본격적으로 이념이라고 불리게 돼요.

사람들은 왜 이념을 따를까요. 모두가 더 나은 세상을 추구하는 마음을 가지고 있으니까요. 이념은 바로 그런 목표를 추구하기 위한 수단이기 때문에, 그것을 쫓아서 따라간다고 생각합니다.

Q. 이념 싸움은 왜 일어나나

모든 사람은 다르게 생각하기 때문이에요. 동서고금을 막론하고, 인류의 가장 큰 목표인 자유와 평등을 포함해 다양한 가치들이 있어요. 어떠한 가치에 목표를 두느냐에 따라 수단과 방법이 달라지겠지요. 산의 정상은 한 곳이지만 정상으로 올라가는 길은 여러 갈래인 것처럼 말입니다. 저마다 가치관, 주위환경, 취향 등에 따라 다른 길을 선택하는 것이죠.

이렇게 저마다 생각이 달라서, 내 생각이 바람직한지 다른 사람 생각이 바람직한지 논의하면서 일어나는 게 싸움이랄 수 있겠지요. 가장 큰 예로 사회주의와 자본주의 투쟁 아니겠어요? 자본주의든 사회주의든, 궁극적인 목표는 사람이 잘살자는 것이죠. 그런데 자본주의는 자유에 초점을 맞춰 잘 살자는 것이고, 사회주의는 평등에 초점을 맞춰 잘 살자는 것이죠. 어느 쪽이 옳고 어느 쪽이 틀린 건 아니에요. 주어진 환경이나 조건에 따라 자유를 평등보다 더 중요시하는 사람도 있을 것이고, 평등보다 자유가 더 중요한 가치라고 생각하는 사람도 있을 것입니다. 자신들의 가치관과 신념, 환경에 따라서 싸운다고 봐야죠.

Q. 상대적으로 왜 젊은 사람들은 진보를 지지하고 기성세대들은 보수를 지지할까요?

요즘은 그런 것 같지도 않아요. 서양 속담 중에 '스무 살에 혁명가 기질을 갖지 않으면 가슴이 없는 사람이고, 마흔 살이 되더라도 그러한 혁명적, 진보적 기질을 가지고 있으면 머리가 없는 사람이다.'는 속담이 있습니다.

젊어서는 누구든지 진보적이 되는 것이 마땅하죠. 청춘의 시기는 가슴이 뜨거울 때 아닙니까? 나 자신만 생각하는 게 아니라 내 이웃, 사회, 국가를 생각하죠. 그리고 만약 내가 무슨 일을 하다가 잘못되더라도 잃어버릴 게 없잖아요? 지금 내가 가진 게 없거나 적으니 정의를 보고 투쟁하기도 하고 자유와 평등을 위해서 싸우기도 하고, 굶주린 이웃을 보면서 분개도 하기도 합니다. 젊어서 진보적인 사람들이 많은 건 당연한 거죠.

하지만 대학을 졸업해 직장을 갖고 돈을 벌고 배우자를 만나 가정도 꾸리면서 나이가 들면 가진 게 많아지게 되죠. 그러면 이제 안정을 지향하게 됩니다. 현상을 지키고 싶어지는 거죠. 보수라는 말이 지킨다는 뜻 아닙니까? 가진 것이 많아질수록 보수가 될 수밖에 없어요. 진보라는 말은 나아간다는 뜻인데, 젊은 사람들이나 가진 것이 없는 사람들은 진보적으로 되기가 쉽고요. 이 세상이 크게 바뀌거나 뒤집어지더라도 잃어버릴 게 별로 없잖아요. 밑져야 본전이라는 말입니다. 쉽게 생각해서 내가 지금 엄청나게 부자고 사회적 지위도 높다면 변화를 원하겠어요? 지금 이 상태가 유지되기를 원하게 되어서 보수가 될 수밖에 없죠.

Q. 반대로 젊은데 보수를 지향하는 것에 대해서 어떻게 생각하십니까?

내가 그랬어요. 나는 대학 시절 민주화운동이 치열하게 전개될 때 데모 한 번 안 해봤으니까요. 이렇게 교수가 되고 머리가 하얗게 되어서야 자칭 진보라며 사회운동을 하고 있죠. 젊은 날들이 후회스러워요.

젊었을 때 나는 너무 무지했어요. 사회에 관심이 없었던 것이죠. 그리고 내 나름대로 내 삶에 만족하고 있었어요. 상고 졸업 후 직장 생활 좀 하다 대학에 들어가 공부하는 것만으로도 출세했다고 생각했어요. '공부 열심히 해서 잘 먹고 잘살면 된다.' 그런 생각을 한 것이죠. 요즘 말로 하면 개념이 없었다고 할까요? 의식이 없었던 거죠.

그런데 미국에서 유학하면서 '아, 이건 아니다.' 싶은 생각이 들었어요. 나보다 더 열악한 환경에 놓인 사람들도 생각하게 되었고요. 젊은 사람들이 보수를 지향한다는 것은 주변 환경 때문일 가능성이 커요. 아무리 정의감이 있어도 자기가 부자 집안에서 태어났으면 진보를 지향하기 쉽겠어요? 주변의 환경의 영향을 받았든, 아니면 무지해서 의식이 없든 둘 중에 하나겠죠.

Q. 평화학이란?

평화학이라는 것은 평화를 추구하는 학문이에요. 학문이라는 것이 대부분 가치 중립적인데 평화학만큼은 가치 지향적이에요. 객관적이지 않다는 것이죠. 왜냐하면, 폭력을 배제하고 평화를 지향하는 것이니까요. 그것이 가장 큰 특징이에요. 또 평화학은 학제간inter-disciplinary 학문입니다. 요즘 '융복합'이라는 말을 많이 쓰고 있는데 비슷한 개념이죠. 많은 사람이 평화학 하면 정치학이나 국제관계학의 일부라고 생각하는 경향이 있어요. 하지만 그렇지 않습니다. 평화 연구는 모든 분야에서 다 나오는 것이니까요. 정치

학뿐만이 아니라 경제학이나 사회학, 문학이나 철학, 종교학 등과도 연계돼요. 그래서 융·복합적인 학문이죠.

그렇다면 이제 '평화가 무엇이냐'는 질문에 답해볼게요. 전통적으로 정치학이나 국제관계학에서는 평화를 전쟁이 없는 상태라고 정의합니다. 그렇다면 지금 전쟁이 없으니까 우리가 평화로운가요? 평화학과 비교되는 분야가 '보건학'이에요. 나에게 심각한 질병이 없다고 해서 내가 건강하다고 말할 수 없는 것처럼, 전쟁이 일어나지 않은 상태라고 해서 우리가 평화롭다고 말할 수 없어요.

진정한 평화는 전쟁뿐만 아니라 전쟁이 일어날 가능성 또는 전쟁이나 갈등의 씨앗조차 없어져 버리는 상태라고 봐야 합니다. 평화학에서는 평화를 두 가지로 나누는데, 전쟁이라는 거대한 폭력이 없는 상태를 '소극적 평화'라고 하고, 전쟁이 일어날 수 있는 근본 원인, 갈등조차 없어지는 상태, 그리고 모든 종류의 직간접적 폭력이 없어지는 상태를 '적극적 평화'라고 해요.

Q. 적극적 평화가 정말 가능할까

적극적 평화는 앞에서 이야기했던 것처럼 모든 종류의 폭력이 없어지는 상태. 또는 갈등이나 빈곤 그리고 차별 등과 같은 전쟁의 근본 원인이 없어지는 상태를 가리킵니다. 너무 이상적이라 실현하기 어렵죠. 하지만 언젠가는 이루어질 수 있다고 생각해요. 실현 불가능한 것과 어렵다는 것은 다르지요. 저는 불가능하다는 말은 쓰지 않고 실현하기가 어렵다고 이야기해요.

평화는 하나의 목표입니다. 민주주의도 마찬가지예요. 완전한 민주주의가 있을 수 있을까요? 그래서 우리가 '민주화'라는 말을 쓰잖아요. 민주주의로 나아가는 과정 말이에요. 평화 역시 과정에 초점을 맞출 수 있지요. 민주주의든 평화든 이런 개념으로 본다면, 우리가 그 가치로 향하는 과정에 있으니 가능하다고 봐야죠. 우리가 그 목표를 추구하기 위해 노력하는 자세를 가진다면, 언젠가는 평화로운 세계가 만들어지지 않을까요? 내 세대에서 안 된다면 우리 다음 세대라도 말이죠. 이러한 자세를 가지고 조금씩 진전한다면 못 이룰 수 있겠어요?

Q. 평화와 행복의 관계

평화학에서 말하는 평화는 폭력이 없어지는 상태인데, 여기서 폭력의 의미에는 차별, 양극화, 종교적 갈등 등 많은 것들이 포함되어 있어요. 예를 들어, 자본주의 체제 자체가 없는 사람들에겐 엄청나게 폭력적이죠. 이런 폭력이 줄어드는 세상이 평화로운 세상이 아닐까요? 그럼 당연히 사람들은 행복해지지 않을까요? 상대적 빈곤상태에서 평화는 깨지게 됩니다.

절대적 빈곤상태에서 행복이나 평화를 느낄 수 있지만, 상대적 빈곤/박탈 상태에서는 행복이나 평화를 느끼기 어렵죠. 예를 들어, 세계에서 행복지수가 높은 나라들이 어디일까요? 방글라데시, 부탄 같은 가난한 나라들이에요. 세계에서 가장 못사는 나라들이지요. 절대적 빈곤상태에 처한 나라들입니다. 부에 대한 개념이 다르다고 봐야죠.

우리나라 경제력이 세계 12~13위인데, 경제력과 행복이 비례한다면 우리의 행복지수는 참 높아야 해요. 그런데 경제력이 커질수록 행복지수가 낮아지고 있죠. 자살률도 높아지고요. 왜 그럴까요? 상대적 빈곤 때문이라고 생각해요. 예를 들어, 재벌 사장들은 가만히 앉아서 몇백억씩 번다고 하잖아요. 그런데 노동자들은 밤새워 일해도 한 달에 수백만 원밖에 벌지 못하죠. 이런 데서 사람들은 박탈감을 느끼는 겁니다. 무노동으로 수십억을 버는 사람이 있는데 일반 노동자가 어떻게 행복을 느낄 수 있겠어요?

청춘에게
전하다

Q. 한반도와 동아시아의 평화를 위해서

우리가 사는 동북아시아는 중동과 함께 세계에서 가장 불안정한 지역으로 꼽혀 왔습니다. 먼저 내 경험부터 소개할게요. 2000년 핀란드에서 열린 〈세계평화학회〉에 참석한 뒤 북유럽과 서유럽을 돌아다녔어요. 여행을 좋아해 여기저기 많이 쏘다녔지만, 유럽은 처음이었지요. 비자 없이 마음대로 돌아다닐 수 있는 게 재미있기도 하고 부럽기도 했습니다. 버스나 기차로 국경을 넘나드는 게 내가 사는 익산에서 이웃 도시 전주나 군산을 오가는 것과 별로 다르지 않았거든요. 공교롭게 한 달 뒤엔 일본 〈평화의 배〉 초청으로 대만과 베트남을 거쳐 싱가포르까지 강연하며 여행을 즐겼습니다. 그때는 싱가포르를 빼고 일본, 대만, 베트남의 비자를 모두 받아야 했어요. 그로부터 2년 전엔 중국을 거쳐 북한에 다녀왔는데, 두 나라의 비자 받기가 어려웠고 출입국 절차가 몹시 까다로웠습니다. 몇 년 뒤엔 시베리아 횡단 열차를 타고 러시아와 몽골을 여행했는데, 두 나라 비자 역시 쉽지 않게 받았고 출입국 절차도 복잡했습니다. 내가 사는 한국의 모든 주변 국가들엔 까다롭고 복잡한 절차를 거쳐 다녀오는데, 지구 반대편의 유럽에 가서는 이방인조차 국경을 자유롭게 넘나들 수 있는 역설적 현상을 실제로 겪어본 것이죠.

그만큼 우리 동아시아는 갈등이 많다는 뜻이지요.

첫째, 이념 갈등입니다. 1980년대 말부터 1990년대 초까지 세계적으로 냉전이 끝나면서 유럽을 비롯한 다른 지역에서는 군비감축과 경제협력이 이루어졌어요. 경제공동체나 국가연합까지 생겨났죠. 그러나 동아시아에는 아직도 냉전의 잔재가 완전히 가시지 않고 있는 가운데 군비경쟁이 지속하고 있어요. 일본, 남한, 대만, 홍콩 등 자본주의권과 러시아, 중국, 몽골, 북한 등 사회주의권 사이의 경쟁과 긴장이 유지되고 있고요. 특히 한반도를 중심으로 냉전시대처럼 남쪽으로는 남한+미국+일본이 동맹과 같은 관계를 맺고있고, 북쪽으로는 북한+중국+러시아가 비슷한 관계를 맺고 있잖아요. 남북한 사이의 적대감과 대립이 동아시아의 협력과 평화를 통한 공동체 형성을 막고 있는 핵심 요인인 것이죠.

둘째, 역사 갈등입니다. 동북아시아에서의 일본 제국주의의 침략 및 식민통치에 대해 일본이 적절한 사과와 보상을 아직 하지 않고 있습니다. 게다가 야스쿠니신사靖国神社 참배 및 역사교과서 왜곡 등으로 남북한과 중국 그리고 대만에서 반일감정이 사라지기 어렵지요.

셋째, 영토 분쟁입니다. 동북아시아에서는 영토 분쟁이 해결되지 않고 있어요. 남한과 북한은 서해의 북방한계선(NLL)을 둘러싸고, 남북한과 일본은 독도를 놓고, 일본과 중국은 센카쿠(尖閣) 또는 댜오위다오(釣魚島) 열도를 두고, 그리고 일본과 러시아는 북방 4개 섬에 관해 영토 분쟁을 벌이고 있지요. 남한과 중국 사이에 이어도 관할권 문제도 언제든 불거질 수 있습니다. 이 지역의 거의 모든 나라가 영토 분쟁에 휩싸여있다는 말이죠.

넷째, 패권 경쟁입니다. 동북아시아에서 지역 패권을 놓고 중국과 일본 사이의 경쟁이 치열합니다. 중국은 유엔안보리 상임이사국으로 핵무기를 보유해왔습니다. 일본은 1960년대부터 거의 반세기 동안 세계 2위의 경제 대국이었지만 제2차 세계대전 패전국으로 경제력에 걸맞은 군사력과 외교력을 지니지 못했어요. 이런 터에 중국이 급속한 경제성장을 바탕으로 2010년 일본의 경제력까지 추월하자, 일본은 '중국 위협론'을 확산시키며 군비 증강에 박차를 가하고 있습니다.

　다섯째, 미국의 개입입니다. 점진적으로 쇠퇴하는 '세계 유일의 초강대국' 미국이 급속하게 떠오르는 중국을 견제하고 봉쇄하기 위해 일본과의 동맹, 한국과의 동맹, 대만에 대한 군사지원 등을 통해 동북아시아에 막강한 영향력을 행사하고 있습니다. 이 지역에서 갈등과 분쟁이 심화하는 가장 큰 이유요 배경이지요.

　다른 지역에서는 주변국들과의 평화를 위한 안보공동체나 경제공동체가 있습니다. 동아시아에는 그런 게 없어요. 앞에서 말했듯, 각국의 이념과 체제가 달라 정치적, 군사적으로 조화를 이루기 어렵거든요. 안보공동체를 지향하기 전에 경제공동체를 만들어 가까워져야 한다고 생각해요. 그래서 저는 FTA가 조금씩 확장이 되어 한일, 한중, 한·중·일 FTA로 확장되길 바랍니다. 그렇게 된다면 동남아와 연결되어 동아시아 공동시장을 만들 수 있지 않을까 생각해요. 경제를 통해 교류 협력하고 발전하여 정치공동체를 이루고, 더 나아가서는 군사안보 공동체까지 나간다면 훨씬 안정되고 평화롭게 되지 않겠어요? 핵심은 우리 남북관계에요. 완전한 통일이 안 되더라도 휴전선이라도 열려서 서로 교류 협력할 수 있는 정도만 된다면, 동아시아 공동체의 기초가 만들어질 수 있다고 생각해요.

Q. 20대들이 가져야 할 올바른 통일관이란 뭐라고 생각하세요?

대학에서 20여 년 북한사회와 통일문제를 주제로 강의해오면서 이에 대한 학생들의 관심이 세월이 흐를수록 줄어드는 것을 느낍니다. 통일에 대한 무관심을 넘어 반대하는 학생들도 적지 않지요. 정부의 잘못된 대북정책과 이에 따른 교육과 언론의 오도 때문이겠지만, 분단의 폐해만 생각할 수 있어도 통일을 추구하지 않을 수 없을 거예요.

통일을 이루어야 할 가장 큰 이유나 필요성은 한 마디로 분단에 따르는 폐해가 너무 크고 통일을 이루면 얻을 수 있는 편익이 몹시 크기 때문이죠. 통일 경비가 천문학적으로 들 것이라는 얘기가 많은데 분단 경비는 이와 비교도 할 수 없을 만큼 큽니다. 더구나 통일 경비는 남북이 자유롭고 평화롭게 더불어 살자는 건설적 투자비용이지만, 분단 경비는 서로 적대시하며 죽이자는 파괴적 소모비용이에요. 통일 경비는 천금이라도 아깝지 않지만 분단 경비는 한 푼이라도 아깝다고 생각할 수 있는 것이죠.

첫째, 분단 때문에 정치 발전이 이루어지기 어렵습니다. 북한을 적으로 삼는 사람들이 가장 강조하는 게 자유민주주의를 수호하자는 것인데, 그들이야말로 자유민주주의를 가장 심각하게 훼손하고 있는 현실이 참 역설적이에요. 자유민주주의란 개인의 자유를 핵심 가치로 삼는 민주주의로, 개인의 자유 가운데서 가장 기본적 자유는 사상과 양심, 언론과 출판, 결사와 집회 등의 자유입니다. 그런데 분단을 핑계로 유지되는 국가보안법은 이러한 기본적 자유조차 심각하게 제한하며 인권을 탄압하고 있지 않아요?

둘째, 분단 때문에 군사 외교적으로 자주권을 침해받고 있습니다. 군대의 작전통제권까지 미군에게 맡기는 등 미국에 너무 종속적이라 "남한은 미국의 51번째 주"라는 국제적 조롱을 받는 것은 분단 때문이죠. 중국과의 교역규모가 미국과의 무역액수보다 두 배 이상 크지만, 중국과의 경제협력을 증진하는 데 미국의 눈치를 보아야 하고, 일본이 역사를 왜곡하며 망언을 해도 미국의 영향력 아래 일본과 공조를 진전시켜야 하는 것도 분단 때문이고요. 분단이 해소되고 통일이 되어야 진정한 자주 독립국이 될 수 있겠지요.

셋째, 분단 때문에 엄청난 국방비를 쏟아 붓고 있습니다. 대략 정부예산의 15~20%지요. 국방비 말고도 남북이 체제경쟁 때문에 모든 분야에서 쓸데없이 지출하는 비용이 얼마나 많아요? 분단이 해소되고 통일이 되면 국방비를 비롯해 막대한 경쟁 비용을 줄일 수 있고, 그 만큼 사회복지비를 늘릴 수 있어, 요즘 사회적으로 떠들썩한 '무상 급식'이나 '반값 등록금' 문제도 어렵지 않게 해결할 수 있겠지요.

넷째, 분단 때문에 여행의 자유도 제한받고 있습니다. 우리는 '한반도'라는 말을 즐겨 쓰지만, 남한은 '완도完島'에요. 육지와 연결된 '반쪽 섬'이 아니라 바다로만 나갈 수 있는 '완전한 섬'이란 말이죠. 그러기에 해외여행을 하려면 편리한 기차나 버스를 이용하지 못하고 돈이 많이 드는 비행기나 시간이 오래 걸리는 배를 이용할수밖에 없어요. 분단이 해소되면 서울에서 기차나 버스를 타고 평양에 들렀다가 압록강이나 두만강을 건너 만주나 시베리아를 거쳐 유럽까지 배낭여행을 즐길 수 있게 되지 않겠어요?

다섯째, 분단 때문에 한반도가 동북아시아 긴장과 갈등의 중심에 놓여 있습니다. 요즘 사드(고고도 미사일방어망) 배치를 두고 난처한 처지에 놓여있듯, 미국과 중국의 패권 경쟁 사이에도 남북한이 끼어 있어요. 분단이 해소되고 통일이 되어야 주변 강대국들의 영향에서 벗어나고 동아시아의 안정과 평화에 이바지할 수 있겠지요.

여섯째, 분단 때문에 징병제가 고수되고 있습니다. 대한민국의 건전한 남자들이라면 거의 모두 인생에서 가장 창의적이고 생산적인 20대에 공부하거나 일하다 말고 가장 폐쇄적이고 폭력적인 집단인 군대에 불려가 2~3년 '썩어야' 하는 현실이 왜 지속되는가요.

제2연평해전이나 천안함 침몰 또는 연평도 포격 등 남북 사이의 갈등이나 무력충돌 때문에 희생된 젊은이들보다 군대 안에서 자살과 사고로 죽어가는 젊은이들이 비교도 할 수 없이 훨씬 많습니다. 분단이 해소되고 통일이 되면 징병제를 모병제로 바꿔, 직업으로 군인을 선택하겠다는 젊은이, 군 생활이 적성에 맞겠다는 젊은이, 군대 가야 사람 된다고 생각하는 어른 등 원하는 사람들을 모집해 단결심과 충성심이 강한 군대를 만들 수 있을 겁니다.

일곱째, 분단 때문에 전쟁의 가능성이 남아 있습니다. 만에 하나 제2연평해전 같은 무력충돌이 전면전으로 이어진다면 남북 모두 막강한 병력과 최첨단 무기들을 가지고 있는 터에 남쪽에서든 북쪽에서든 멀쩡하게 살아남을 사람이 얼마나 될까요. 특히 요즘 전쟁에서는 군인들만 죽는 게 아니라 민간인들이 더 많이 죽습니다. 분단이 해소되고 통일이 되면 끔찍한 전쟁의 가능성이 사라지거나 최소한 줄어들지 않겠어요?

제가 생각하는 통일은 화해와 협력을 통해 교류를 확대하는 겁니다. 남북이 반세기 이상 서로 다른 이념과 체제를 지켜왔는데 한꺼번에 모든 걸 하나로 합치는 건 가능성도 낮고 바람직하지도 않거든요. 남쪽 사람들이 주말에 평양이나 묘향산, 금강산 등으로 나들이가고, 북녘 사람들이 서울과 경주나 익산을 방문하는 등 서로

왕래할 수 있으면 그게 통일 아닙니까? 억지로 합칠 필요 없어요. 교류와 협력을 통해 남한은 복지정책을 확대하고, 북한은 개혁개방을 추진한다면 언젠가는 교점이 생기지 않겠어요? 이것이 바로 제가 주장하는 21세기 통일이에요.

Q. 20대에게 추천해주고 싶으신 책이 있으세요?

저는 평화학자로서 간디 자서전을 강추하고 싶지만, 젊은이들이 여러 분야의 책을 읽으면서 기본적인 지식과 소양을 쌓으면 좋겠어요. 이른바 문文, 사史, 철哲 분야의 책을 기본으로 소설도 좋고 만화도 좋고 다양하게 많이 읽기 바랍니다.

Q. 20대에게 한 말씀 부탁합니다.

우선 저처럼 대학생활을 개념 없이 보내지 말기를 부탁합니다. 뜨거운 가슴으로 자기만 생각하지 않고 주변을 돌아보면서 사는 게 바람직하겠지요. 특히 대학에서 비판정신과 창의력을 기르며 사회의 부정과 불의를 보면 반대하고 저항할 수도 있어야 하겠고요. 세월이 흐르면 자연스럽게 보수적이 되어버리는 게 우리 인생인데, 20대 청춘 때는 뜨거운 가슴을 갖고 진보적으로 살아가길 바랍니다.

- 법 학 -

류권홍 교수님 (원광대 법학전문대학원)

"

근본으로 가고,

남들이 안 하는 것을 해야 살 수 있습니다.

"

Q. 법이란 무엇인가요?

먼저, 법의 여신에 관해서 이야기해보겠습니다. 법의 여신은 왼손에는 저울, 오른손에는 칼을 들고 있습니다. 저울은 상징적으로 큰 의미가 있어요. 공정하고 형평성을 맞춰준다는 것이지요. 반대손에 들고 있는 칼에는 법을 어기면 처벌하겠다는 의미를 담고 있어요.

법은 현실이고 현장에 있는 문제를 해결해야 합니다. 둘이 싸워서 법원에 왔다면 누구에게 책임이 있는지 분명하게 답을 내려야 하겠지요. 이때 기준이 되는 것이 정의입니다.

정의와 관련한 예를 들어, 대리모를 얘기해보죠. 우리가 봤을 때는 대리모가 정의롭지 않다고 생각할지 모르겠지만, 인도에서는 이를 합법화했어요. 이를 통해서 알 수 있듯이, 정의正義라는 것을 정의定義 내리기란 참으로 어렵습니다. 문화 단위마다 다른 정의가 있기 때문이지요. 문화단위마다 가치기준이 달라서 인도에서는 인도, 아프리카에서는 아프리카만의 문화단위 안에서 중요하다고 생각하는 것들이 정의가 되기도 해요. 그 나라의 역사나 문화를 통해서 법이 만들어지고 따라서 나라마다, 지역마다 법이 다릅니다.

많은 법학자는 "법과 종교 그리고 법과 도덕은 분리된다." 라고 주장해요. 이렇게 법은 종교, 문화, 도덕, 경제 등등 다른 현상과는 단절되어 있고, 법 스스로 존재한다고 주장하는 학파가 순수법학이에요.

제 생각으로는 법이 종교나 정치로부터 순수하게 분리될 수가 없어요. 법은 정치투쟁의 산물일 수도 있고, 경제현상을 다루다 보니까 경제와도 연관되어있어요. 또 우리 삶을 관리하다 보니까 우리 생활과 직결돼요. 형법 같은 경우는 종교의 근본가치가 법으로 녹아 들어왔어요. 이것을 부정하고 종교 따로, 법 따로 하면 진정한 법을 이해 못 하게 됩니다.

Q. 법이 세상에 존재함으로써 인류에게 어떤 가치와 의미가 있나요??

법이 없으면 어떻게 될까요? 법의 가치는 법을 없애면 알 수 있어요. 예를 들어서 형법이 없다고 생각해봅시다. 제가 친구랑 싸워서 친구가 다쳤어요. 그럼 나는 어떻게 구제받아야 할까요? 법이 없다면 친구는 저를 보복할 것입니다. 달리 구제받을 방법이 없기 때문이지요.

옛날 고조선의 8조법, 함무라비 법전을 보면, 나를 상하게 하면 가서 똑같이 상하게 하는 법들이 있어요. 이에는 이, 눈에는 눈으로 처벌하는 사회가 될 것입니다. 정치력이나 물리력이 있는 사람들이 자기의 힘을 이용해서 법으로부터 자신을 방어하며, 남에게 피해를 주는 등 더 크고 복잡한 혼란이 생기죠.

헌법은 국가 시스템을 만들고 국민의 기본권을 보호해요. 기본권을 보호하는 내용이 없으면 후진국이나 독재국가로 갈 확률이 커지고 국민의 기본권은 보장되지 않아요. 법은 우리가 살아가는 데 중요한 기준과 근거가 됩니다. 법이 없다면 세상에 많은 혼란과 억울함이 생길 것입니다.

Q. 교수님께서 생각하시는 법의 정의란 무엇인가요??

"법이란 관계다." 라고 생각해요. 관계에서도 법률관계라고 생각합니다. 법률관계가 다른 관계와 다른 점은 나의 권리, 의무가 있느냐 하는 것이에요. 권리와 의무가 있다면 법은 적용됩니다. 예를 들어, 제가 모르는 사람에게 휴대전화기 내놓으라고 이야기하면 줍니까? 안 주겠죠? 계약했거나 약속을 했거나 무언가 이유가 있어야 해요. 그 이유가 바로 법이에요. 국가가 나에게 아무 이유 없이 법원에 출석하라고 하면 안 가죠. 그 이유와 근거가 있어야 가는 것이죠. 법은 관계고, 법률적인 관계를 정하는 정당성의 근거가 되는 것이 정의라고 생각해요.

Q. 왜 법을 지키지 않는 경우가 발생할까요??

그 이유는 문화적 차이가 가장 큽니다. 한국은 문제가 생기면 법원에 가려고 하지 않고 관계로 풀려고 해요. 소위 '합의'라고 하지요. 그런데 미국이나 독일은 싸움 생기면 재판을 먼저 생각합니다. 우리는 인간중심의 관계사회고 미국이나 독일은 법 중심의 법치 사회이기 때문이지요. 선진국으로 갈수록 법원이나 사법부의 역할을 중요시하고, 후진국으로 갈수록 관계로 풀려고 하는 가능성이 높아요.

서구화된 사회일수록 법을 더 강조하죠. 많은 사람은 '미국은 변호사들 때문에 망할 것이다.' 라고 생각하는데 저는 그렇게 보지 않아요. 미국은 변호사들 때문에 더 강대국이 될 것으로 생각합니다. 만약에 변호사들 때문에 미국이 망했더라면 진작 망했어야 했는데 더 강해지고 있어요. 미국 사람들은 법을 만들고 법을 지키려고 하니까 국가 시스템이 투명해지고, 모든 걸 공정하게 해결하려고 하는 문화가 형성되었어요.

　예를 들면, 우리는 음식점 음식에 머리카락이 있으면 그냥 들어내고 먹지요? 하지만 미국에서 똑같은 일이 벌어지면 음식점을 상대로 소송해요. 미국은 이렇게 소송을 하다 보니까 소비자의 안전에 대해서 신경을 쓸 수밖에 없어요. 또 다른 예를 들면, 전자레인지가 처음 나왔을 때, 전자레인지에 대해서 잘 모르는 할머니가 전자레인지 안에 고양이를 넣어서 건조했습니다. 우리 같은 경우는 할머니가 뭘 몰랐다고 말하겠지만, 미국에서는 전자레인지를 만든 회사가 전자레인지에 동물을 넣지 말라고 알려줬어야 했다며 회사에 배상책임을 물렸어요. 그냥 배상도 아니고 수만 달러의 배상책임을 물렸어요. 그래서 회사들은 소비자를 위해서 더욱 신경 써서 그런 문제들이 발생하지 않게 하지요. 결국 그렇게 되면 상품의 품질과 안정성이 높아져요.

　관계로 해결하는 것보다 법으로 해결하면 실질적이고 장기적인 효과가 나옵니다. 또 요즘 우리나라 사람들이 법을 안 지키는 이유는 사회의 지도자가 법을 안 지키기 때문이에요. "윗사람들도 안 지키는데 왜 나만 지켜야 해?"라는 반감이 커지다 보니 사회가 신뢰가 없는 사회가 되고 말았어요. 얼마 전, 유병언이 죽고 난 후 많은 유언비어가 나왔습니다. 시민들이 근본적으로 국가를 못 믿는 거예요. 이것은 국가의 큰 위기 상황이라고 생각합니다. 국민들이 국가를 믿어야만 어떤 일이 있어도 국가가 나를 보호해줄 것이라는 믿음이 생기는데, 이런 신뢰가 깨진 거지요. 국가에 대한 불신은 대한민국 사회 전체가 산산이 깨질 수도 있어요.

Q. 어떻게 하면 법치가 올곧게 선 나라를 만들 수 있을까요?

법을 일관되게 지켜야 해요. 자의적인 집행도 하지 말아야 하고요. 법을 집행하는 사람들이 먼저 국민들에게 신뢰를 보여야 합니다. 내가 법을 집행하지만 내가 대상이 되어서 처벌받을 수 있어야 하고, 힘 있다고 해서 법에 예외가 된다는 것이 없어야 해요. 이런 일관된 원칙을 꾸준히 지켜줘야만 해요.

예를 들어, 옛날 춘추전국시대에 법가 사상가들이 자기가 만든 법에 자기가 죽었어요. 법가의 기능은 법이 있으니 법을 지켜야 한다는 것을 분명히 보여줘서 국민들이 법을 따르게 되고 행동기준이 분명해졌습니다. 법이 애매해진다면 따르지 않아요. 국가가 먼저 나서서 집행하는 일관된 모습을 보여줘야만, 국민들도 따라가는 거지요. 이를 위해선 오랜 노력이 필요할 것입니다.

Q. 법은 인간을 자유롭게 하나요? 억압하나요??

서양문화의 특징은 각 요소가 떨어져 있다고 보는 '개별성'입니다. 즉, 서양 사람들은 개인을 중시하는 반면에 동양 사람들은 관계로 보죠. 이들 사이에는 엄청난 차이가 있어요. 서양에서는 법을 가리켜서 자유를 보장하는 수단이라고 해요. 왜냐하면, 자유주의 국가이기 때문이죠.

반면 자유에도 한계가 있는데 그 자유의 한계를 넘어서면 어떻게 할 것이며, 자유의 범위가 어디까지인가 하는 문제가 있어요. 법은 나를 자유롭게 하는 것인가 아니면 규제하는 것인가 살펴볼 때 저 개인적으로는 규제하는 성격이 크다고 봅니다. 회초리를 예를 들어볼까요? 일정한 범위 안에서 자유롭고 편하게 행동하지만, 그 경계선을 넘게 되면 회초리를 맞게 돼요.

궁극적으로 법이 해야 하는 기능은 국민들에게 사고의 경계선을 알려주는 역할을 하는 것이고, 이 경계선을 넘었을 때 회초리로 벌을 주면 국민들은 가능한 그 경계선을 넘지 않으려 할 것입니다. 법은 자유와 규제의 경계선이죠.

Q. 우리나라 법은 어떠한 사상이나 역사의 영향을 받았나요?

우리나라는 세 번의 아픈 기억을 간직하고 있어요. 일제강점기, 6·25, 마지막으로 IMF예요. 이것은 사소한 문제가 아니에요. 다른 나라는 수백 년에 한 번 겪었을 문제를 우리나라는 50~100년 동안 한 번에 겪었어요. 그러다 보니 기존 우리 역사와의 단절이 생겼어요. 일본강점기의 식민지 제도에 한번 당했고, 6·25를 통해서 사회 모든 시스템이 붕괴하다 보니까 처음부터 다시 시작하게 되었죠.

일제강점기 때 일본이 조선 시대부터 수백 년 내려오던 우리나라 법을 뒤로하고, 자국의 법을 가지고 한국에 들어왔습니다. 일본의 법은 일본이 개화하면서 영국식 법보다는 프랑스, 독일법이 일본의 정서나 문화에 적합하다고 판단하여 들여온 거예요. 프랑스, 독일식의 법을 가지고 일본법의 틀을 만들었고, 그 법을 일제강점기 때 한국에 적용했지요.

우리나라는 일제강점기가 끝난 후 독일식 법을 받아들였어요. 또 여기에 영미법도 받아들이다 보니 여러 법 제도가 혼재되어 복잡하게 된 것이죠. 헌법 10조에 보면 인간의 존엄과 가치, 행복추구권이 있습니다. 인간의 존엄과 가치는 독일에서는 히틀러 시대에 대한 반성하는 표현이에요. 즉, 독일식 이념입니다. 그러다가 전

두환 대통령 때 행복추구권이 들어왔는데 이것은 미국식 이념이고요. 독일식과 미국식이 혼합되고 왜곡되니, 우리나라 고유의 법들이 자리를 잡지 못한 것이 대한민국 헌법입니다. 한편, 우리나라 사법私法에서도 한 번의 혁명이 있었어요.

주로 독일식 법을 따라가다가 미국식 법으로 바뀌게 되는 시기가 있었어요. 바로 IMF 때입니다. 이후에 대한민국의 경제에 관련된 법들이 바뀌었는데, 그 근간은 미국식 회사법과 증권거래법에 있어요.

Q. 마지막으로 20대 청춘들에게 해주실 말씀 부탁합니다.

학생들을 보면 너무 경쟁 속에 살고 있다는 느낌입니다. 그런 모습들을 보면 참 안쓰럽죠. 이것은 누구에게 책임이 있을까요? 저는 기성세대에게 책임이 있다고 생각해요. 기성세대는 청춘들에게 1등만 하라고 강요합니다. 사회 분위기가 그렇죠. 하지만 안쓰럽다는 것만 가지고 답이 나오는 것은 아니에요.

이러한 경쟁 사회에 대한 답으로 첫 번째는, 남들이 안 하는 것을 해야 해요. 빈틈을 노려서 자꾸 노력해야 해요. 법 같은 경우도 일반화된 법이 아닌 특이한 법을 해야만 내가 설 자리가 생겨요. 우리나라 사회는 학벌, 혈연, 지연으로 똘똘 뭉치다 보니까 이것을 뚫고 나가기가 쉽지 않죠. 모든 분야에는 틈새가 있는데, 이 틈새를 잘 뚫고 나가면 자기만의 전문성을 인정받을 수 있어요.

두 번째는 세상을 크게 봐야 해요. 20대들이 세계여행을 했으면 좋겠어요. 아프리카, 미국, 유럽 등의 나라에 가서 일하면 훨씬 더 기회가 많은데 이런 기회를 두려워하더라고요. 기회는 남들이 안 가는 곳에 있어요.

세계를 보고 세계에서 뛰려면 영어를 잘해야겠죠? 요즘 중국어가 많이 뜨면서 미국을 견제하지만, 중국만 보면 안 돼요. 중국 사람들과 계약서를 쓴다고 해도 영어로 써요. 앞으로도 100년, 혹은 그 이상 앵글로색슨 민족이 세계를 주도할 것이고 영어가 세상의 공통언어일 것입니다. 자신감 있게 세계로 나가려면 전공만큼 공부해야 하는 것이 영어라고 생각합니다. 1940~50년대 경제 개발될 때 우리나라에서 제일 선호되는 회사가 석탄공사였어요. 지금은 석탄공사가 부실한 회사 중 하나죠. 80~90년대에는 컴퓨터학과가 유행했어요. 하지만 지금 보면 컴퓨터는 공대 나오면 다 할 줄 알아요. 그래서 시류를 타면 안 된다고 생각해요. 꽃은 열흘을 넘기기 어렵듯이 시류는 변하기 마련이거든요. 그래서 "근본으로 가고, 남들이 안 하는 것을 해야 살 수 있습니다." 라고 말하고 싶어요.

－

신

학

－

김 기 석 교 수 님 (성 공 회 대 신 학 과)

"

하느님을 직접 본 사람은 없지만,

사랑을 통해

하느님의 존재를 깨달을 수 있다

"

신학이
바라보는 세상

Q. 신이란 어떤 존재인가요?

초월적 존재로서 신이 있다는 생각은 인류의 모든 문화권에서 다양한 형태로 고백 되어 왔어요. 구체적인 내용은 종교마다 다르지만, 일반적으로 신은 "세상과 인간을 만든 창조자"로 고백 돼요. 이러한 '절대자'는 때에 따라서 "존재와 법칙의 궁극적인 원인"으로 고백 되기도 합니다.

기독교(그리스도교)에서 신은 역사적 단계에 따라 둘로 나눌 수 있는데, 하나는 구약성서에 기록되어있듯이 히브리(이스라엘) 민족의 해방과 구원의 역사를 통해 전해졌고, 다른 하나는 신약성서에 기록되었듯이 예수 그리스도의 십자가와 부활 사건을 통해 알려졌어요. 즉 구약에 나타난 하느님이 곧 인간의 몸으로 세상에 오시어 고난을 당하시고 부활하셨다는 고백이 그리스도교의 핵심적인 믿음이에요.

그리스도교 신앙은 초대교회 시대를 거쳐 확립되었는데, 그 내용은 "하느님의 아들 예수는 세상을 구원하시는 그리스도(메시아)이시며, 몸소 겪은 고통과 죽음을 통해 무한한 사랑과 용서를 가르쳐 주셨고 마침내 죽음조차도 극복하신 분"으로 고백 돼요. 이 믿음을 기초로 하여 그리스도교가 탄생했습니다. 성서는 "하느님을 직접 본 사람은 없지만, 사랑을 통해 하느님의 존재를 깨달을 수 있다"고 말하고 있어요. 따라서 그리스도교 전통에서 하느님에 대한 확신과 믿음은 철학적 용어를 통해 논리적으로 설득되기보다는, 개인의 주관적 경험을 통해 하느님의 사랑과 섭리를 깨닫고 공동체 속에서 그 경험을 공유함으로써 신앙이 세대를 거쳐 이어져요.

Q. 신을 증명하는 논리에 대해서도 말씀해주시죠.

신의 존재 여부를 과학적, 혹은 논리적으로 증명할 수 있느냐는 질문은 해결책이 될 수 없다고 생각해요. 유신론자들은 신의 존재를 증명했다고 하고, 반대로 무신론자들은 신이 존재하지 않음을 증명했다고 주장합니다. 중세의 신학자 '토마스 아퀴나스'는 다섯 가지 논증을 통해 신증명론을 펼쳤어요. 그러나 '신증명론'이라는 것은 이미 신앙이 전제된 문화 속에서 그리스도교 신앙의 유효성과 정당성을 강화하는 논리라고 보는 게 상식적인 판단이에요. 다시 말해 수학적 증명처럼 보편적으로 따를 수 있는 증명이 아니라, 신이 있다고 생각하는 사람의 믿음을 확장하는 논리예요. 따라서 신을 믿지 않은 사람에겐 아무런 설득력을 발휘하지 못합니다. 아퀴나스의 신증명론 때문에 신을 믿게 되었다는 사람을 아직 만나보지 못했어요. 마찬가지로 세계적으로 유명한 생물학자인 리처드 도킨스가 〈만들어진 신〉이란 책에서 신의 존재를 진화론적 논리를 통해 부정하고 있으나 이 논리 때문에 신앙을 포기하는 사람 역시 거의 없을 것이에요. 물론 이미 무신론적 견해를 가진 이들에게 도킨스의 주장은 무신론적 견해를 보다 강화해줄 수는 있습니다.

따라서 신의 존재 여부는 논리적 증명을 통해 판가름할 수 없다고 생각해요. 신앙의 내용을 살펴보면 존재의 궁극적 원인과 의미를 부여하는 것이고, 삶의 용어로 표현하자면 사랑, 희망, 용서, 은혜, 감사하는 마음이나 태도를 강조하는 거예요. 예컨대 신이나 부활 혹은 내세를 믿지 않는 사람들도 세월호 희생자들을 기릴 때, 종교 유무를 떠나 종교적 염원을 담은 표현을 많이 사용해요. 반대로 자신들의 정치적인 입장에 따라 세월호 사건과 유가족들을 부정적으로 바라보는 사람들은 신앙이 있다 하더라도 그러한 기원을 표현하지 않고 빨리 눈앞에서 사라져주길 바라며 저주하는 모습을 볼 수 있지요. 따라서 유신론이냐, 무신론이냐가 문제가 아니라 인간의 존엄성과 역사의 방향, 자연과 생명의 가치를 어떤 관점으로 바라보느냐가 더 중요하다고 생각해요. 세월호 사건뿐만 아니라 4대강 사업이나 핵발전소, GMO 문제 등에서도 마찬가지로 서로 다른 관점이 대립하는 것을 볼 수 있어요.

칼 마르크스가 "종교는 인민의 아편"이라고 말한 것은 특정한 시대와 상황 속에서 종교 또는 종교 지도자들이 무조건 권력의 편에 서서 민중을 착취하고 탄압하는 구조에 힘을 보태는 모습을 보았기 때문이에요. 그러나 역사 속에서 종교가 민중(인민)의 해방을 위해 권력과 맞서 싸운 예도 많이 있어요. 예수도 가난하고 소외된 팔레스타인 민중들과 함께 살면서 "하느님의 나라는 바로 가난한 이, 상처받은 이들의 것"이라고 설파했는데, 이는 민중이 역사의 참된 주체라고 뜻으로 해석할 수 있어요. 결론적으로 신학의 중요한 내용은 신의 존재를 증명하는 것이 아니라 인간과 생명의 가치에 관해 신의 본성으로부터 근거하여 특정한 관점을 진술하는 것이라고 말할 수 있습니다.

Q. 신학에서는 인간을 어떻게 바라보나요?

기독교 전통에 국한해서 이야길 해보자면 두 가지의 상반된 시각이 있어요. 하나는 죄인이라는 관점이고, 다른 하나는 하느님의 자녀라는 관점입니다.

첫 번째는 '죄인'이라는 표현이 창세기에 등장해요. 에덴동산의 설화(신화)에는 인간이 유혹에 빠져 죄를 짓는 이야기가 나와요. 이 것을 '원죄론'이라고 하는데, 하느님의 말씀을 어기고 선악과를 따 먹는 존재로 묘사됩니다. 그러나 이 구절을 문자주의적으로 읽지 않는다면, 이야기의 요지는 "인간이 원죄를 지어 그로 인해 고통 스러운 삶을 살고 죽음의 운명을 피할 수 없다"는 것인데, 이는 인 간이 살면서 피할 수 없는 고통과 죽음에 대한 실존적 고백이라고 생각할 수 있어요. 사람의 삶을 살펴보니까 평생 노동의 고통에 시 달리고, 또 여성의 경우에는 출산의 고통과 위험을 안고 살아가며, 그 누구라도 죽음의 운명을 피할 수 없음을 성찰하면서 그 기원이 어디에서 왔느냐는 질문에 대한 하나의 설명인 셈이에요.

두 번째는 성서에 보면 인간이 아무리 잘못을 해도 하느님께서 사랑하시는 귀한 자녀라고 기록되어 있어요. 예수께서도 이를 두 고 잃어버린 양, 잃어버린 동전 등 여러 가지 비유를 들어서 이야 기하는데 이는 아무리 보잘것없는 사람일지라도 모든 인간은 누구 나 존엄하고 소중한 존재라고 주장해요. 이 주장이 돋보이는 것은 예수 당시에 유대교에서는 천한 계급이나 이방인, 병자나 거지 등 정상 사회로부터 소외된 사람들은 하느님의 저주를 받은 존재라고 간주하고 사람 취급을 하지 않았거든요. 예수는 이러한 차별적 시각을 반대하고 모든 인간은 아무리 낮고 천한 사람일지라도 하느님의 자녀로서 존엄한 존재라고 주장했던 것입니다.

Q. 세상은 왜 고통과 절망, 죄악으로 가득 차있는 것인가요?

굉장히 철학적인 질문일 수도 있겠는데요. 우리가 고통 없는 세상에서 살 수 있는지, 만일 그런 세상이 된다면 삶의 의미를 어떻게 찾을 수 있는지 되묻고 싶습니다. 고통은 우리가 살고 있는 이 세계의 필연적인 요소라고 생각해요. 우리의 삶에 행복과 쾌락이 있는 것처럼, 절망과 죄악도 필연적이라 생각합니다. 육체적 고통은 신경이 있기 때문에 느낄 수 있는데, 신경이 없으면 우리 몸은 지켜질 수가 없어요. 우리에게 있어 고통은 삶을 더욱 경축시키는 필연적인 것으로 생각합니다. 즉 존재가 비존재를 수반한다고 저는 생각해요.

Q. 그러면 삶에서 죄악은 꼭 필요하다는 말씀이신가요?

빛이 있기에 어둠이 존재하는 것이죠. 예를 들어서 벼농사를 지을 때 빛만 계속 비추면 성장하지 못해요. 밤, 낮이 동시에 존재해야 식물이 잘 자라죠. 밤이 있어야 안식도 있고 쉼이 있어요. 제가 이렇게 말씀드리면 '죄'라는 것이 필수적인 거냐고 오해할 수도 있겠죠? 죄는 나쁜 것들인데, 죄로 규정하는 것이 다른 곳에 가면 죄가 아닌 곳도 있습니다. 죄라는 것은 문화적인 부분이 있지 않나 싶어요.

Q. 서양철학과 신학은 어떠한 연관이 있나요?

신학은 그리스도교 신앙을 논리적, 체계적으로 논술하는 학문이에요. 그런데 그리스도교 신앙은 '히브리 사상'과 '그리스 철학'의 결합으로 형성되어있어요. 히브리 사상이란 이스라엘 민족이 자신들의 장구한 역사 속에서 하느님의 구원을 체험하면서 형성된 사상이에요. 이 사상의 바탕 위에 예수의 십자가와 부활사건으로 다시 수정, 발전돼요. 이것이 초대교회 공동체가 믿었던 신앙의 내용인데요. 이것이 그리스 철학과 만나게 되고, 이 때문에 그리스도교의 사상적 지평이 더 넓어지게 됩니다.

예를 들어서 그리스 철학에는 '이데아'라는 것이 있어요. '우리가 바라보는 현상계는 이데아 세계의 모방이다.' 라는 것입니다. 플라톤 같은 그리스 철학자는 '이 세계가 불완전한 세계이고 저 위에는 완전한 세계가 있다.'고 생각했습니다. 이러한 서양철학의 개념이 그리스도교와 만나면서, 즉 역사 속에서의 '구원'이라는 특별한 체험과 결합하면서, '이데아'라는 개념은 기독교의 '하느님 나라'로 대체 돼요. 그리스도교는 로마제국 전역으로 퍼져 나가고 마침내 로마의 국교가 되면서 그리스도교 사상이 서양철학의 기초가 되었어요. '구원'이라는 특수한 체험과 세계의 질서 그리고 존재에 대한 보편적인 원리가 결합이 되었다고 말할 수 있습니다.

Q. 과학과 신학의 공존이 가능한가요?

일반적으로 대다수 사람은 종교와 과학은 양립할 수 없다고 알고 있어요. 역사적으로 갈릴레이 재판 사건이나, 다윈의 진화론에 대한 기독교의 반대 등을 떠올리게 하지요. 그런데 이러한 생각이 반드시 맞는 이야기는 아닙니다. 물론 과거 인류의 과학이 발전하기 전에는 이 세계의 기원과 생명의 역사에 대한 질문에 대해 성서 등의 종교 경전이 설명을 제공했어요. 이러한 종교적 설명은 모든 존재의 기원을 신에게 귀속시키기 때문에 오늘날의 과학과 맞지 않아요. 그러나 이는 존재의 기원에 대한 고백적 차원으로 읽어야 해요. 이를 과학적 사실의 기록으로 간주하면 종교와 과학이 충돌하게 되는 것이지요.

따라서 성서를 해석할 때 문자주의로 해석하면 안 돼요. 성서의 창세기 기록은 앞에서 설명한 대로 세계와 생명의 기원, 인간의 의미에 관한 종교적 성찰을 통해 깨달은 내용을 고백한 것이에요. 그런 관점으로 성서를 받아들이면 종교가 과학과 충돌할 필요가 없어요. 과학자가 빅뱅 우주론을 통해 우주의 시작과 진화 과정을 밝혀내는 것을 받아들이면서 동시에 바로 그 우주가 기원과 진화의 배후에 보이지 않는 하느님의 섭리가 작동했다고 믿을 수도 있어요. 생명의 진화에 관한 생물학자의 설명을 받아들이면서, 모든 생명이 얼마나 소중한지 믿을 수 있는 것이지요. 물론 이러한 신앙적 고백에 모든 사람이 동의하지는 않을 거예요. 하지만 과학적 설명과 신앙적 고백은 사실과 가치라는 서로 다른 차원에 속한다고 볼 수 있어요. 그러므로 과학과 종교가 필연적으로 상충할 필요는 없고 때로는 협력자가 될 수도 있어요.

서양이 기독교 문화권이었기 때문에 서양에서 근대과학의 출현이 가능했다는 주장이 있어요. 이 주장은 과학사에서는 거의 정설로 인정받습니다. 기독교는 과학이 자연을 탐구하는 데 있어서 정신적으로 자유롭게 해줬다고 보는 것이죠. 서양에서 과학이 탄생할 수 있도록 세계관의 기초를 제공해줬다고 할 수 있어요.

과학과 종교는 공존할 수 있다고 봐요. 둘 다 인류의 지적인 성과물이죠. 신학적 측면에서 볼 때에 인간의 지성은 하느님이 주신 거예요. 하느님이 주신 이성과 합리성을 무시하는 것은 신앙적으로도 올바른 일이 아니라고 생각합니다.

종교의 역할과
미래에 대하여

Q. 인류사회에 있어서 종교의 본질적인 역할은 무엇인가요?

종교는 기본적으로 인간의 존엄성을 지키고, 생명의 소중함을 일깨우며, 사회를 통합하는 데 이바지해야 한다고 봐요. 근대적인 국가가 성립하기 전에는 종교가 국가나 민족을 통합하는 데 굉장히 중요한 역할을 했어요. 그 당시 종교는 도덕적인 가르침의 기준을 제시하고 어떤 궁극적인 질문들에 답을 줌으로써, 우리가 어떤 윤리를 가지고 살아야 할지 삶의 원리를 제공해주는 역할을 했어요.

하지만 긍정적인 일만 한 것은 아닙니다. 종교의 권한이 너무 비

대해지고 교만에 빠져서 전쟁이 일어나기도 하고, 잘못된 믿음들을 가지고서 마녀사냥처럼 사회의 약자들을 공격하는 역할을 감당한 적도 있었죠. 지금은 많은 반성과 교리를 통해 사회통합에 한 걸음씩 나아가고 있다고 생각해요.

Q. <u>왜 종파가 나뉘는 것인가요? 또 이단교회를 믿는 수많은 사람은 왜 이단교회를 믿나요?</u>

종파는 새로운 생각이나 깨달음을 얻고 설파하면서 종파가 나누어져요. 종파마다 새로운 깨달음이 있어요. 또 권력의 문제도 있습니다. 권력 때문에 종파가 나누어지는 경우도 있어요.

역사적으로 볼 때 '이단' 집단으로 지적받은 파들이 종교로 인정받는 경우도 있었어요. 또 이단으로써 물의와 파행을 일으키다가 사라진 집단도 있습니다. 구분하자면 전자는 기존 종교권력이 새로운 깨달음을 인정하지 못하기 때문에 받아들여 주는 거예요. 핍박을 받으면서 종교를 지켜나가고 결국 사회 속에서 열매를 맺을 때, 하나의 인정받는 종교가 됩니다. 통상적으로 '이단'이라고 불리는 대순진리교, 신천지 등의 종교는 사람들의 욕망에 충실한 사이비 교주들에 의해 생겨나요. 예를 들어서 성공하거나 사회적인 신분을 상승하게 해준다거나, 아픈 곳을 낫게 치료해준다고 이야기하며 믿도록 유도하죠.

Q. 종교로 인해 전쟁이 일어나고 테러로 많은 사람이 죽었는데, 종교는 이 사회에 꼭 필요한 걸까요?

'종교가 꼭 필요한가?' 라는 질문에 대한 정답은 없을 거예요. 인간은 때로 어쩔 수 없는 상황에 부닥칠 때가 있어요. 불의의 사고로 가족을 잃거나, 불치병에 걸렸다든지, 나치나 일본 제국주의 등 개인이 저항할 수 없는 거대 악에 직면했을 때, 종교를 통해 위로받거나 희망을 발견하기도 하고 때에 따라서는 저항의 용기를 얻으면서 다시 살아갈 힘을 얻게 되죠. 그런 상황에선 종교가 필요하다고 생각해요. 그런데 종교가 국교가 되어 권력을 갖게 되어 국민들에게 권위를 행사할 때는 종교가 부정적인 기능을 하는 경우가 많아요. 십자군 전쟁을 성지 회복이라는 명분을 가지고 전쟁을 했던 것처럼요. 현대에도 이슬람 근본주의에서는 '성전을 통한 순교자는 훨씬 더 큰 보상을 받는다.' 는 가르침 때문에 자살폭탄 테러를 합니다.

아직도 종교로 인한 전쟁 혹은 테러의 행위가 있는 것을 보면 종교는 모든 사람에게 필요한 것이 아니고, 종교 나름대로 비판받고 항상 자기 성찰을 통해서만이 사회에서 의미 있는 기능을 할 수 있지 않나 싶습니다.

Q. 종교가 정치에 참여하는 것에 대해서 어떻게 생각하시나요?

교인이 정치참여는 할 수 있다고 생각해요. 왜냐하면, 종교는 인간의 삶의 모든 영역을 포괄하는 영역이기 때문이죠. 정치는 정치인들에게, 종교는 종교인들에게 국한되어 있지 않아요. 종교는 인간의 삶과 인간 사회에 모든 관심이 있습니다.

히틀러 치하에서 많은 유대인을 잡아서 처형하는 모습을 본 독일의 신학자 본회퍼 목사는 이런 말을 했어요. "트럭운전사가 사람들을 치어 죽이면서 광란의 질주를 하고 있는데, 성직자는 단지 죽은 사람들을 장례만 시켜주는 역할을 해야 한다면, 성직자에 대해서 역할을 다 한 것이 아니다." 진정한 성직자라면 "그 트럭운전자를 끌어내려야 한다." 라고 이야기해요.

기독교 전통에서도 예언자는 단순한 예언을 하는 것이 아니라, 하나님의 말씀을 대전하는 사람이에요. 사회가 타락하고 권력자들이 불의를 저지를 때, 예언자는 권력자들에게 옳은 소리를 했거든요. 이처럼 '예언자적 사명'이라는 것은 정의의 목소리를 내는 것입니다.

Q. 우주의 비밀이 풀리면 종교는 끝인가요?

종교라는 것은 우리에게 필요한 희망, 사랑, 감사하는 것에 관련되기 때문에, 어떤 면에서는 우주의 비밀이 풀리면 종교적으로 강화될 수도 있겠죠. 반면에 "우주의 비밀이 풀렸는데 신은 없다." 이렇게 생각할 수도 있겠죠. 하지만 물리학자들은 종교에 대해서 좀 호의적이거나 상대적으로 덜 비판적인 사람들이 많이 있어요. 물리법칙을 보면서 조화를 느끼거든요. 우주 속에 적은 확률의 실현들이 많고 많은 요소가 조화롭게 존재하는 측면이 많거든요.

우주의 비밀이 풀리더라도 과학적으로 설명하지 못하는 부분들이 상당히 있을 것입니다.

이에 반해서 생물학자들은 생명은 경쟁과 투쟁, 약육강식에 과정의 산물로 보이기 때문에, 종교에 대해서 덜 호의적인 경향이 있어요. 우주에 신비를 과학이 다 밝혀낸다고 해서 종교가 사라지거나, 종교가 강화되는 등 직접 영향을 주진 않을 거예요. 다만 세계를 바라보는 관점, 인간에게 무엇이 중요한지에 대한 생각들은 달라질 수 있다고 봅니다.

20대 청춘에
한 마디

Q. 20대 청년들에게 하시고 싶은 말씀 부탁합니다.

20대들이 이런 질문을 가지고 있다는 점이 기쁘네요. 신학을 가르치면서 느낀 점은 알아보지 아니하고, 무작정 무시하고 비판하는 경향이 있어요. 무작정 비판하고 비난하는 구시대적인 모습은 버려야 한다고 생각해요.

기독교의 본래 정신은 어떤 집단도 악하지 않고 선하다는 것입니다. 많은 기독교 목회자들은 사회에 헌신하고 가난한 이웃들을 위해서 노력하는데, 기독교라는 종교를 자체적으로 부정하는 것은 성급한 태도라고 생각해요. 몇천 년간 이어져 온 종교전통에서도 나름대로 배울 것이 있거든요. 조금 더 진지한 태도로 생각을 깊이 해주셨으면 좋겠어요.

또, 요즘은 모든 것이 효율성의 논리로 돌아가죠. 효율성 있는 사회를 만든 앞선 세대로서 가진 연민이랄까? 안타까움 같은 감정이 있어요. 신자유주의논리로 관철되는 것에서 다 양극화가 심해져 가기 때문에, 결국은 소수의 선택된 사람들이 모든 것을 갖고 나머지가 힘들게 살아가죠. 소수에 포함되지 못하면 스스로 포기해야 하는가? 이런 질문을 20대들이 생각해 봤으면 좋겠어요. 세계적으로 자본주의가 군림하고 있지만, 이 시스템에 대안은 없는가? 이런 것들을 고민해야 하겠죠. 혼자 힘으론 어렵겠지만, 대안적인 삶을 고민하고 생각해야 하지 않을까 생각해요. 저절로 시대가 만들어지지 않을 거예요. 그럼 20대가 앞장서서 고민하고, 또 어떤 면에서는 쟁취해 나가야 할 것이고요. 쉽지 않겠지만 그래도 그런 작업을 시작해야 하지 않을까? 라는 생각이 듭니다.

"

내가 원하지 않는 일은

남한테 베풀지 마라

"

원불교로
세상 이해하기

Q. <u>원불교에서 말하는 '개벽(開闢)'은 무엇인가요?</u>

원불교가 이루고자 하는 것이 바로 '개벽'입니다. 개벽은 선천先天의 개벽과 후천後天의 개벽이 있어요. 선천의 개벽은 지구가 처음 생길 때를 말해요. 역사가 처음 시작될 때로 기독교의 개념을 인용하자면 천지 창조와 비슷해요. 하늘이 생기고 땅이 생기고 만물이 생기고, 물리적 공간의 창조, 최초의 문명이 생기는 것을 '선천 개벽'이라고 하죠. 이것이 처음 이루어진 건 지금으로부터 약 5만 년 정도 전이죠.

근데 선천의 개벽이 이루어진 뒤에 시간이 많이 흐르면서 여러 가지 문제점이 생겨났어요. 그래서 이제는 이미 만들어진 세상, 이미 낡아빠진 문명을 전혀 새로운 차원으로 다시 바꿔야 할 필요성이 대두 돼요. 그것이 후천 개벽이죠. 이미 만들어진 문명의 문제점들을 하나부터 열까지 모두 다 완전히 바꾸자는 후천 개벽. 이것이 원불교가 이루고자 하는 것이지요.

Q. 왜 원불교라는 종교는 한국에서 나타났나요?

원불교가 나온 것은 19C 말~20C 초에요. 당시 세계역사의 모순이 한국에서 비극적으로 되풀이 되고 있었어요. 청일전쟁, 러일전쟁을 통해 외세에 짓밟히고, 결국엔 1910년 나라가 몽땅 망해버려요. 이 땅에 사는 사람들이 제일 힘들어져요. 하지만 어려움 속에서도 포기하지 않고 그 원인이 무엇인지 고민하며 그것을 뛰어넘으려는 노력이 여기저기에서 많이 나타났어요. 노력을 하나로 모으고 대변하는 지도자들이 속속 등장합니다. 그중 한 분이 원불교를 만드신 소태산 박중빈少太山 朴重彬, 1891~1943 대중사죠. 세계사적으로 보면 새로운 종교는 공통적으로 세상이 가장 어렵고 힘들 때 등장해요. 어려움을 뛰어넘고 싶은 민중들의 간절한 염원들이 뭉쳐서 새로운 사상, 철학, 종교가 나오게 되죠. 우리 민족이 나라를 잃고 헤매던 시기에 그런 민중들의 흐름을 모으고 집약한 분이 원불교 창시자 소태산입니다.

Q. 원불교가 4대 종단에 들어갈 만큼 급속한 성장을 할 수 있었던 원동력은?

고난의 시대일수록 사람은 삶에 위로와 의미를 주는 종교를 찾고자 해요. 원불교도 그런 시대적 배경으로 지금처럼 성장할 수 있었다고 할 수 있죠.

시대적 배경뿐만 아니라, 원불교 자체가 지닌 매력도 성장의 원동력이었어요. 원불교는 현실을 이분법적 갈등구조로 판단하지 않아요. 계급적 구분, 기득권-비기득권, 지배자-피지배자, 강자-약자를 대결과 갈등으로 파악하지 않지요. 대신 조화와 상생의 관계로 봐요.

소태산 박중빈 대종사는 일본 강점기에도 '무조건 대항하지 말고, 우리가 왜 졌는지 철저히 반성하면서 반면교사로 삼아라.', '일제가 우리를 지배하는 것은 부당한 것이지만, 우리가 왜 지배를 당하게 되었는지 그 이유를 잘 살펴보면 우리에게 부족한 것을 알수 있다.' 라고 말해요.

현실을 철저히 반성하되 그 현실을 모순적, 대립적 관계로 보지 말고, 서로가 더 발전하고 진화할 수 있는 조화와 상생 관계로 보는 것. 그것이 바로 원불교의 은恩사상이에요. 모든 세상의 사물을 보는 눈을 이분법으로 보는 것이 아니라, 연결해서 보는 것이에요. 이런 가르침이 일제 강점기부터 이어져 오니, 일본 사람들도 함부로 소태산을 탄압할 수 없었어요. 그런 힘이 이 땅에서 나온 종교로서 성장할 수 있는 이유가 아니었을까 생각해요.

Q. 원불교와 불교의 차이점은?

불교의 교조가 석가모니라면 원불교의 교조는 소태산입니다. 소태산은 불교가 원래 인도 것이기 때문에 한국의 풍토에 맞는 불교를 만들고자 하셨죠. 불교는 2,500~3000년 동안 발전해오면서 많은 미신적 요소를 흡수했어요. 미신은 진리가 아닌 것에다가 무언가를 기대하는 거예요. 예를 들어 입시 철만 되면 사람들은 대구 팔공산 갓바위 부처에게 달려가 기도합니다. 갓바위 부처가 합격을 좌우하는 것은 아닌데, 학부모들은 지푸라기라도 잡는 심경으로 갓바위 부처에게 가서 빌죠. 이런 것에 대해 소태산은 사실불공事實佛供이라고 해서 수험생이 시험에 합격하려면 합격할 수 있도록 진리적이고 사실적인 노력을 하라고 강조했어요. 다시 말해 소태산은 평생토록 진리와 사실에 따라 노력하는 종교를 추구했죠. 미신적 신앙을 혁신하기 위해 원불교를 만들었습니다.

또 불교에서 스님의 역할은 참선 수행하는 스님과 행정하는 스님 등을 나누어요. 이판승理判僧과 사판승事判僧 두 개로 나누어져 있어요. 그러나 원불교는 생활 속에서 수행하는 일과 일하는 것을 나누지 않습니다. 공부(수행)과 사업(일)의 조화와 상생을 추구하죠. 공부와 일이 나누어지면 안 되기 때문에 영혼과 몸도 둘로 나누어 보지 않죠. 이런 것을 원만한 신앙, 원만한 수행이라고 해요. 또한 원불교는 스님(출가) 중심의 불교가 아니라 생활 속에서 살아가는 신자(재가) 중심인 것이 특징이라고 할 수 있죠.

Q. 원불교가 추구하는 진리란?

소태산 대종사의 말씀을 빌리면, 천하의 모든 사람이 고개를 끄덕이며 나도 그 길을 가겠다고 하는 게 진리라고 했어요. 천하 모든 사람이 함께 걸어가는 거죠. 우리 한국 사람들끼리만 걸어가고, 남자들끼리만 걸어가고, 가진 자들끼리만 걸어가고 서양 사람들만 걸어가고, 심지어는 사람들끼리만 걸어가는 그런 길이 아니라, 세상의 모든 사람과 모든 만물이 같이 걸어가는 그런 길, 그것을 진리라고 그러거든요. 천하 모든 사람이 끄덕이는 것이죠. 생명체를 가진 존재들은 억압한다면 고통스러워하잖아요. 하지만 또 즐거워하는 것들은 모두가 즐거워하잖아요. 이것이 바로 간단한 진리이죠. '내가 원하지 않는 일은 남한테 베풀지 마라.' 예전에 공자께서도 말씀하셨죠. 기소불욕 물시어인己所不欲 勿施於人. 이것이 진리를 공감할 수 있는 간단한 예라고 볼 수 있죠. 나와 이웃과 세상, 그리고 생태계에 고통을 가하지 않는 것, 그렇게 사는 것. 바로 그것이 원불교에서 추구하려는 진리가 아니겠느냐고 생각해요.

Q. 현대에 이르러 일어난 많은 위기 중에 원불교가 할 수 있는 역할은 무엇일까요?

석유, 석탄의 부족, 인구 문제, 식량 위기, 물 부족 현상 등… 수많은 위기가 있어요. 이러한 것들은 다 물질적 위기예요. 이런 물질적 위기들을 누가 만들었습니까? 인간이 만들었죠. 물질적 위기의 뿌리는 나를 포함한 인간에게 있어요.

이 위기 극복을 어떻게 해야 할까요? 이러한 위기를 만든 인간들이 근본적이고 처절하게 자기반성을 해야 합니다. 이러한 자기반성을 누가 하게 만들어야 하나요? 바로 원불교가 그 역할을 해야 한다고 생각해요. 인간이 얼마나 지구 위에서 많은 문제를 일으키는가에 대해서, 스스로 우러나오는 자기반성을 할 수 있어야 큰 힘이 발휘됩니다. 강요하는 식의 반성이 아니라 자기 스스로 문명의 위기를 초래한 책임에 대한 자발적 반성을 촉구하는 역할을 제대로 할 때, 원불교는 인류 위기를 극복할 수 있는 새로운 종교로서 자리매김할 수 있다고 생각해요.

Q. 서양과 비교해봤을 때 동양이 가진 가치는 무엇일까요?

동양적 가치를 이야기할 때 인간이 가야 할 길, 인간이 어떤 존재인가 하는 큰 관점으로 봐야 해요. 동양에는 대표적으로 유교, 도교, 불교의 종교들이 있죠. 이 종교들의 공통점은 나 자신 안에 신성神性 또는 불성佛性을 가지고 있다고 말해요. 그래서 동양에서는 내가 나를 구원할 수 있고 내 안에 있는 요소를 100% 끄집어낼 수 있는 것을 강조해요. 반면 서양은 기독교가 중심이죠. 기독교의 가르침에서는 인간이 인간을 스스로 구원하지 못하죠. 죄인이니까요.

또 하나 다른 관점은 자연의 태도예요. 서양은 인간과 자연을 분리하는 태도죠. '나는 생각한다. 고로 존재한다.' 라고 데카르트가 말했던 것처럼 내가 존재하기 때문에 나 바깥의 존재를 전부 나와 구분하는 것이에요. 하지만 동양에서는 내가 따로 존재하는 것이 아니라고 봐요. 하늘과 땅이 나와 연결되고 만물이 나와 연결된 존재라고 생각해요. 큰 틀로 봤을 때 동양은 조화와 합일과 연대와 관계를 중시하는 반면, 서양은 근대문명으로 오면서 분리하죠. 자연과 인간을 분리하고 인간과 인간을 분리해요. '만인은 만인을 위한 투쟁'이라는 말처럼 아주 극단적인 분리주의라고 볼 수 있어요. 요컨대 서양에서는 대체로 '인간은 원래부터 이기적인 존재다'는 식의 사고가 강조되어왔어요.

20대에게
전하는 말

Q. <u>잘산다는 것은 어떤 삶인가요?</u>

사람은 보통 돈과 권력을 쥐고 윗자리에서 여러 사람을 호령하는 삶이 잘 사는 삶이라고 생각합니다. 하지만 이것은 껍데기에 불과합니다. 잘 산다는 것은 내게 부여된 가장 최대의 가능성을 100% 발휘하는 것입니다. 최대한의 가능성을 발휘하는 것은, 인간이 발휘할 수 있는 무한한 사랑을 베푸는 것이라고 할 수 있어요. 모든 사람과 더불어 행복을 공유하는 삶. 이것이 인간에게 주어진 최고의 가능성이자 진짜 잘사는 방법이라고 할 수 있죠. 내가 느끼는 행복이 모든 사람과 만물의 행복에서 비롯된다면, 이것이야말로 가장 잘 사는 삶이 아닐까요?

Q. 청년 문제의 극복방안은?

청년 문제는 나를 포함한 기성세대의 책임이라고 생각해요. 어떤 심리학자는 이렇게 이야기했어요. "문제아가 있는 것이 아니고 문제 어른이 있다." 젊은 사람들의 겪는 아픔은 젊은 사람들에게 책임이 있는 것이 아니고, 그 앞선 기성세대에게 더 많은 책임과 잘못이 있다고 생각해요. 더 깊게 들어가 보면 기성세대가 이 정도로 밖에 만들어내지 못한 기존 문명과 기존 철학, 가치관의 문제가 있죠. 2014년 4월에 일어난 '세월호 참사' 때 나이만 먹은 늙은 어린이들의 민낯이 드러났습니다. 기존 사회에 '너 죽고 나 살자', '나만 최고다.' 등의 이기적인 사고방식이 만연해서 이런 비극이 일어난 게 아닐까요? 지금 젊은 세대들이 겪는 문제는 기성세대들에게서 비롯됐고, 기성세대가 수준 이하의 모습을 보이는 이유는 기존의 문명, 가치관, 철학에 문제점이 있다고 생각해요. 그래서 새로운 문명을 만들어가야 해요. 새로운 문명을 위해서는 사람마다 변화가 필요한데, 달라지려면 사람들이 마시는 공기를 바꿔야 하죠. 이기적인 공기가 아닌, 더불어 살아가는 공기를 마실 수 있게 해야 합니다. 한꺼번에 바꿀 수는 없습니다. 갑자기 바꾸려면 엄청난 희생이 따르는 부담이 더해질 수 있기 때문에, 긴 안목을 가지고 적어도 10년 후, 30년 후, 100년 후를 내다봐야 합니다. 어른들이 미래세대를 위해 자기를 희생하는 것이 너무나도 즐겁고 기쁜 것이 일반화될 수 있는 씨를 뿌리고 가는 것이 중요하다고 생각해요.

Q. 20대 청춘들에게 추천하고 싶으신 책은 무엇이고 이유는 무엇인가요?

『동경대전東經大全』을 추천하고 싶어요. 이것은 동학東學의 창시자인 수운 최제우水雲 崔濟愚, 1824~1864님이 150여 년 전에 쓴 책입니다. 지금 20대 청춘들은 많은 어려움을 겪고 있는데, 그분께서 살았던 시기도 상당히 어렵고 힘들었습니다. 지금과는 다른 어려움이긴 하지만 그 당시에는 식량문제, 괴질, 등등이 있었습니다. 30년 간격으로 3~5만 명, 30만 명까지 죽어가던 시기예요. 그때는 물질적으로 힘들었고 지금은 정신적으로 힘들다고 볼 수 있죠. 그런 시기에 좌절하지 않고 이웃과 세상에 희망을 열어주는 책을 쓰신 겁니다. 바로 우리 젊은이들이 찾고자 하는 한국적 희망의 원형이 동경대전에 깃들어 있다고 봐요. 이 책은 원래 한문으로 쓰여 있지만, 지금은 누구나 손쉽게 읽을 수가 있도록 한글 번역이 나와 있으니 오늘의 상황을 빗대어 생각해보면서, 현재의 어려움을 극복할 수 있는 실마리, 단서, 에너지들을 우리 젊은이들이 찾을 수 있다고 생각합니다. 꼭 읽어보길 바랍니다.

Q. 20대 청춘들에게 한 말씀 부탁합니다!

'미안하다'고 하고 싶어요. 좀 더 치열하게 살고, 좀 더 많은 노력을 해서 20대 여러분들이 덜 아플 수 있도록 우리 사회를 좋게 만들었어야 했는데, 그러지 못해서 참으로 미안합니다. 그렇지만 바닷가의 '어미 개가 새끼에게 똑바로 걸으라고 한다.'는 속담처럼, 선배들이 좀 부족하고 못나서 지금 젊은 청춘들이 만족할 만큼 길을 열어주지는 못했지만, 그것을 타산지석, 거울로 삼아서 함께 손잡고 그다음의 20대 청춘들을 위해서, 다음 20대 청춘들에게 미안하다는 말을 하지 않을 수 있게 같이 고민하면서 살아갔으면 좋겠습니다. 감사합니다.

–
동 양

철 학
–

김 학 권 교 수 님 (원 광 대 철 학 과)

"

자기를 자연 상태에 머무르지 않고,

좀 더 훈련을 시키고 가꾸고 다듬어서 성숙하고 우아한 풍위를 지닌 문화적 존재로

재탄생되는 것이 인문학입니다.

"

동양철학과
인간

Q. 인간은 철학을 왜 공부하며, 철학의 중요성은 무엇인가요?

모든 사람은 이데올로기를 가지고 살아가요. 이데올로기는 이념에다가 로직logic을 더한 것입니다. 내가 떠올린 아이디어와 관련해서, 왜 하필이면 그런 아이디어야 하는 가라는 사실을 논리적으로 뒷받침해줄 수 있는 것이 이데올로기예요. 이러한 정당성, 합당성, 타당성 등이 보장되어야 비로소 이상적인 이념으로 받아들여서 유지해 나갈 수 있습니다. 가치 없는 것을 뭐하러 따르겠습니까? 타당하지 않은 것을 뭐 하려 하겠습니까?

제가 봤을 때는 종교도 일종의 이데올로기예요. '이것이 진리다,

참이다.' 라고 믿기 때문에 이런 가치를 나의 삶 속에서 하나의 판단의 기준으로 삼아, 무슨 현상이든 대입을 해서 판단하고 행동으로 옮기게 돼요. 이런 가치체계, 신념체계를 만들어가고 설명하는 데 있어서 철학이 아주 중요해요. 많은 사람의 사고와 고민과 비전, 이런 것들을 철학을 통해서 다양하게 접하게 됩니다.

내가 가고자 하는, 갖고자 하는 가치나 신념이 얼마나 바람직하고 얼마나 의미가 있는지, 또 옳은 것인가를 판단하기 위해서는, 이런저런 생각들을 많이 접해봐야 해요. 그래서 비교적 합리적이고 타당하다고 판단되는 생각을 받아서 정리하고, 나름대로 의식속에 쟁여놓고 이것을 근거해서 살아가는 것이죠.

한마디로 정리하자면 올바르고 가치 있는 참된 삶을 살기 위해서, 철학을 공부하는 것은 필수입니다. 즉, 나의 삶을 참되고 바르고 가치 있고 의미 있게 살아갈 수 있게 하는 가장 중요한 기능과 역할을 하는 것이 철학이에요.

Q. 인생이란 것은 얼마나 가치 있고 의미 있는가?

인생은 남이 뭐라고 하던 내가 삶의 주체가 되어서 나름대로 가치 세계를 구축하고, 그것을 내가 살아가는 현실 속에서 실현하는 과정이지요. 슈바이처 박사는 자신을 희생하면서까지 왜 봉사를 했을까요? 결국, 그런 것이 자기 삶에 가장 큰 보람이 되기 때문이지요. 바로 이런 점에서 인생이 가치 있어요. 자기의 신념, 가치를 현실 세계에서 주체적으로 실현해 나갈 때 인간의 삶이 가치가 있는 것입니다.

Q. 흔히 말하는 '인문학적 인간'이란 무엇인가요?

인간다운 인간입니다. 자기가 가치 있고 의미 있다고 생각하는 신념, 가치를 자기 삶의 기둥으로 삼아서, 현실 속에 실현해 나가는 것이 인간다운 인간, 인문학적 인간이라고 할 수 있습니다.

'인문'이라는 뜻은 아름답게 꾸민다는 뜻입니다. 우리 인간이 태어나면 다른 동물들과 다를 것이 없어요. 하지만 인간은 성장하며 많은 교육과 훈련을 받습니다. 예절교육, 공동체교육, 의식주교육 등을 통해 인간이 꾸며집니다. 그럼으로써 하나의 문화적 존재가 되는 것이죠. 인간은 일차적으로 자연상태에서 태어나지만, 다른 짐승들과 달리 이차적인 사회 속의 존재로 제2의 탄생을 한다는 말이에요. 저는 대한민국에서 태어나 자랐기에 대한민국의 문화와 꾸밈 속에서 나라는 인간이 만들어졌어요.

결국, 자기를 자연 상태에 머무르지 않고, 좀 더 훈련을 시키고 가꾸고 다듬어서 성숙하고 우아한 품위를 지닌 문화적 존재로 재탄생되는 것이 인문학입니다.

Q. 동양철학(유학, 주역)이 이 시대에서 가지고 있는 의미는 무엇이며 현실 사회에서 할 수 있는 역할은 무엇인가요?

공자의 인의 논리에요. 즉 박애이고 휴머니즘입니다. 마르크스는 왜 자본론을 써서 노동자, 농민들의 아픔을 대변하고 싶었을까요? 이것도 근본적인 휴머니즘입니다. 모든 것은 인간에 의한 사랑과 관련되어 있습니다. 인간에 대한 사랑 때문에 학문도 있고, 예술도 있고 문화도 있어요. 궁극적으로 철학의 근본문제이기도 합니다. 이 세계는 어떻게 있고 이런 세계 속에서 사는 인간은 어떤 존재인가 하는 2개의 질문은, 가장 철학의 근본이며 인간의 삶을 결정짓는 핵심이에요. 동양철학은 이러한 질문에서 삶의 방향성을 제시해줌으로써 인간다운 삶을 안겨준다고 생각해요. 이것이 동양철학이 현실 사회에서 할 수 있는 역할이라고 생각합니다.

주역사상에
대하여

Q. 주역에서 바라보는 인간이란 무엇인가요?

인간은 변화할 때는 그에 따른 대응이 필요합니다. 대응이라는 것을 쉽게 설명하면, 여름이 되면 옷을 벗고 겨울이 되면 옷을 껴입어야 하는 원리와 똑같아요.

대응하면 고통이 따라요. 그래서 '주역'에서 인간은 변화하기 때문에 변화에 대응해야 하고 노력해야 한다고 말해요. 대응하고 노력하기 때문에 항상 고통스럽고 불안해요.

그러므로 유가에서는 "일일신 우일신日日新 又日新", 날마다 새롭게 또 새롭게 해야 한다고 말하지요. 끊임없이 자기 수양을 해야 하는 거죠. 늙으면 늙은 대로…. 봄이면 봄대로…. 여름은 여름대로…. 청춘은 청춘답게 변화하는 삶 속에서 끝없이 자기 수양을 연속적으로 하는 존재라고 생각해요.

Q. 인간은 왜 점술 행위를 하는 것일까요?

사람들은 주역을 흔히 점치는 책이라고 생각해요. 본래 주역의 시작은 점을 치는데서 비롯되었습니다만, 오늘날의 점치는 것과는 다르지요. 오늘날은 과학이 발달해서 과학적 사고의 바탕에서 우리의 모든 일을 생각합니다.

그런데 옛날에는 과학이 발달하지 못했어요. 과학이라는 것도 일종의 신념체계에요. 왜냐하면, 지금까지 인간이 우주의 참된 모습을 한 번도 제대로 본 적이 없기 때문이에요. 우리 눈, 귀, 촉감은 형편없습니다. 예를 들어서 우리의 눈이 얼마나 형편없느냐면 고정된 물체를 빠르게 흔들면 흐리게 보여요. 그리고 박쥐의 눈으로는 볼 수 있는 걸 인간은 보지 못해요. 깜깜하면 못 보고, 다른 동물들도 볼 수 있는데 인간이 못 보는 것들이 정말 많아요. 이런 눈을 가지고 어떻게 세상을 제대로 볼 수 있을까요?

또, 인간의 눈은 백만 분의 일 초 이내에 들어가는 짧은 시간에 있는 것은 전혀 감지하지 못합니다. 아무리 첨단의 과학기계를 사용해도 우리가 정보를 받아들일 수 있는 한계는 극히 일부입니다. 인간의 감각적 경험 때문에 걸러져서 올라오는 것은 우주의 수천만 분의 일도 안됩니다. 이것을 가지고 세상을 어떻게 제대로 볼 수 있을까요?

다만 이런 경험적 사실을 바탕으로 해서 추정을 하는 것입니다. 우주의 비밀에 대해서 인간이 알 수가 없어요. 다만 이렇게 가설을 세워놓고 여러 현상을 대입해보니 잘 맞아 떨어지고 설명이 됩니다. 그래서 이것을 잠정적인 진리로 사용하는 거에요. 옛날에 탈레스가 "물이 우주의 구성성분이다." 라고 말했죠. 지금 생각했을 때는 웃기는 이야기입니다. 그때는 탈레스가 말한 것이 진리였습니다. 최첨단의 지식이었고 놀랄만한 발견이었어요. 점도 마찬가지입니다. 우리는 앞길을 알 수가 없어요. 옛날에는 하늘에 천제를 지내야 했어요. 천제를 지내는데 비가 쏟아지면 안 되니까 그 당시의 최고의 지성인을 불러서 점을 친 것이죠. 점은 국가의 대사를 결정하는 중요한 방편이었고, 점쟁이는 메시아였어요. 하늘의 뜻을 전해주는 사람이자 또, 최고의 지성인입니다. 과학적 경험이 축적되고 합리적으로 설명할 수 있게 되면서, 이해가 안 되었던 여러 자연현상이 이해되는 쪽으로 넘어가요. 경험들이 일반적 지식으로 받아들임으로써 두려움의 대상에서 제외되는 것입니다.

즉, 점점 과학적 원리 속으로 들어가는 것이에요. 그때 당시에 점은 인간에게 당면한 많은 문제를 해결하는 해결수단이었어요.

Q. 주역과 서양사상의 차이점은 무엇인가요?

주역에서 역은 바꾸다, '교역'하다라는 뜻이에요. 역은 '해일日'과 '달월月'이 합쳐진 한자에요. 낮과 밤이 계속 변하면서 하루가 이루어지고 계속해서 변합니다. 그래서 주역의 우주관은 변화의 우주관이라고 하죠.

우주라는 말을 보면 공간 '우', 시간 '주'로 이뤄져 있습니다. 동서남북을 '우'라고 합니다. 또한, 흘러간 옛날부터 오늘날까지의 통시적 시간의 연장을 '주'라고 합니다. 그래서 우주 하면, 존재하는 세계의 공간과 시간이라는 의미입니다. 모든 것은 공간과 시간, 좌표 위에 있어요. 공간과 시간이라는 엮임 속에 모든 사물이 존재해요. 공간과 시간에 존재하는 모든 사물은 끊임없이 변한다고 보는 게 주역의 우주관입니다. 주역의 세계에서는 모든 것이 다 변해요.

반면에 서양은 변하지 않는 이데아를 실체로 생각해요. 서양철학의 전통은 불변의 어떤 것이 중심으로 해서 이야기를 하려고 해요. 그래서 서양은 신이 굳건하게 중심에 서 있지요. 신은 시간과 공간을 초월해서 영원히 존재해왔으며 완전해요. 만약 시공에 들어간다면 불변 되지 않고 완전도 되지 않아요. 하나님은 2000년 전이 되었든, 2만 년 전이 되었든, 2만 년 후가 되었든 언제나 어디서나 시공을 초월해서 존재합니다. 이데아를 본질적 근원으로 이야기하는 사고가 서양은 아주 강해요. 이것이 서양철학의 핵심이지요. 그래서 서양철학의 주류인 고대 희랍의 관념론 철학부터 소크라테스, 플라톤, 아리스토텔레스, 토마스아퀴나스를 지나, 근대로 가면 데카르트, 칸트, 헤겔 이렇게 넘어오는 모든 형이상학적 관념론을 지향하는 서양철학의 중심 주류가, 그런 의식의 기초위에 연계되어있어요. 나머지 헤라클레이토스, 마르크스는 변화적 세계관과 물질적 세계관을 이해하는 이야기하기 때문에, 비전통으로 인한 주류에서 밀려난 것이죠.

주역은 불변하는 것이 없습니다. 영원성을 찾기가 어려워요. 그래서 서양과 같은 신의 개념이 동양에서는 별로 없어요. 동양 사람들은 신을 잘 믿지 않아요. 왜냐하면, 서양과 세계관이 다르기 때문입니다. 동양 사람들은 변화하는 세계 속에 변하지 않는 하나의 원리가 있다고 믿습니다. 원리만 믿을 뿐이지요. 어떠한 법칙성입니다. 그래서 그 법칙성을 삶의 좌표로 삼습니다. 내가 살아서 가야 할 길을 변화하는 세계의 법칙, 변화의 법칙에 근거하여 내 변화하는 삶을 살아가는 것이죠. 예를 들어서 춘하추동이 있고 낮과 밤이 있어요. 인간의 삶도 마찬가지예요. 더웠다가 추웠다가, 밝았다가 어둡기를 반복합니다. 그런 우주에 존재하는 모든 사물은 변화하는 코스로, 우주 시간과 공간에 속해있는 모든 존재자는 변화의 코스를 다 알게 모르게 따라가면서 우주 거대한 변화가 이루어집니다.

결국, 우주의 변화를 동양에서는 '천도'라고 해요. 하늘이 가는 길 그 길을 인간도 따라서 갈 수밖에 없어요. 그래서 '천일 합일'이라고 하지요. 동양은 자연과 인간을 분리해서 생각하지 않습니다.

Q. 주역에서 말하는 '도'란 무엇이며 '도'를 깨닫기 위해서는 어떤 노력이 필요할까요?

'도'는 변화의 원리에요. 변화의 법칙을 깨우쳐야 합니다. 우주 변화의 길을 따라가는 것이 곧 길입니다.

20대 청춘에
대한 조언

Q. 20대 청춘들에게 한 말씀 부탁합니다.

저는 어렵게 공부를 했기 때문에 젊었을 때 하고 싶은 것들을 못 했어요. 남이 좋다고 하는 것을 따라 하다 보면 고통스럽고 보람을 느끼지 못해요.

그래서 첫 번째로 자기가 하고 싶은 것들을 마음껏 했으면 좋겠어요.

두 번째로 청춘들이 큰 욕심을 가졌으면 좋겠어요. 우주를 품고 전 인류를 품을만한 욕심을 가졌으면 좋겠어요. 사랑해도 한 사람만 사랑하지 말고 만인을 사랑해야 해요. 예수님이 한 사람

사랑했으면 예수님이 되지 못했을 거예요. 세 번째는 나만이 아닌 타자의 삶이 곧 나의 삶과 깊은 관계를 맺고 있다는 사실을 잊지 않았으면 좋겠어요. 결국, 이웃의 삶은 이웃의 삶으로만 끝나는 것이 아니라 나의 삶과 직결되어있다는 사실을 생각하면서, 자기 삶의 목표도 설정하고 계획을 세워 실천해나간다면 우리 대한민국이 한 층 더 성숙한 대한민국이 되지 않을까 생각이 들어요.

PART 09

-

서 양

철 학

-

주 광 순   교 수 님   (부 산 대   철 학 과)

"

자기가 누구인지

그리고 스스로 무엇을 생각하는지 확인해 봐라.

"

고대 그리스 철학에 대하여

Q. 4대 성인 중 소크라테스가 들어가는 이유는 무엇인가요?

어떤 의미에서 서구적 발상이 많이 들어가 있을 수 있습니다. 대학까지 받은 교육에서 고전을 생각해보세요. 동양 것은 인정받지 못했었어요. 4대 성인의 기준은 누가 매기느냐에 따라서 달라진다는 거예요.

다만 서구에서 소크라테스가 왜 중요하냐는 것에 대해선 분명한 사실이 있어요. 소크라테스는 어떠한 의미에서 서구적 전통을 만든 사람이긴 해요. 그의 방법은 굉장히 비판적이었죠. 전통을 그대로 받아들이진 않았어요. 보수주의에서 보자면, 소피스트들처럼 위험해 보일 수도 있어요. 그러나 소피스트가 아닙니다.

소크라테스라는 사람은 일반적인 소피스트들이 모든 것을 상대주의로 환원시키려 할 때, 우리가 합의할 수 있는 하나의 기준이라는 합리적 기반을 찾아준 사람이죠. 그런 의미에서 그는 대단히 서구의 전형적인 인물입니다.

개인적으로 보자면, 그가 위대하다는 건 사실이에요, 왜냐하면, 자기가 죽음에 이를 때도 자기의 탐구를 포기하지 않으며 자기를 키워준 국가의 기간을 흔들지 않기 위해서 억울한 판결도 받아들여요. 이런 것은 꽤 예수나 부처 못지않은 위대한 부분들이 있죠. 사실 감사하고 은혜를 잊지 않는다는 것도 꽤 중요한 것 아니에요? 인간적으로 봤을 때도 위대한 사람인 것 같아요.

그는 끊임없이 진리를 추구하고, 사회가 그에게 베풀어 준 은혜를 잊지 않았어요. 최후의 변론에서 '내가 나에게 이로운 다른 이상한 것들은 다 묵인하면서 내게 해로운 판결은 어기면, 국가가 어떻게 되겠느냐, 나는 이것을 마시겠다.' 하면서 독배를 든 장면을 보면 나 같은 경우 기독교인이라 그렇겠지만, 예수가 연상되기도 하고, 큰 인물이라는 건 의의가 없어요. 다만, 과연 성인은 오늘날 흔히 일컬어지는 그 4명뿐인가? 비서구 지역의 다른 성인은 없는가? 라는 것에는 의심이 들죠. 서구에 가장 위대한 인물 중 하나라는 건 사실인 것 같아요.

Q. 서양 고대철학들이 현재 지금까지 연구되는 이유가 무엇인가요?

서양 고대철학이 현대의 이론처럼 치밀하지 않은 건 사실이에요. 그러나 그 속에서 원석과 같은 가치 있는 것들이 들어있는 것도 사실입니다.

근대에 와서 특별히 강하게 강조하게 된 게 무엇이냐면, '새것은 좋은 것이다.' 라는 것이에요. 그러나 진정으로 위대한 것들은 시대를 넘는 탁월성이 있어요. 근대를 보면 우리 현실에 더 가깝기는 하지만, 현실에서 이미 해결이 어려운 문제를 또한 많이 안고 있어요. 하지만 오래된 아이디어를 보면 현실에 꼭 맞는 답을 찾긴 어렵지만, 깊이 음미해 보면 인류에게 지속해서 유익한 통찰력을 안고 있어요.

그중에서 플라톤, 아리스토텔레스 등을 보면, 현실 문제에 대해 아주 많은 차이가 나지만 흥미로워요. 단적인 예로, 가장 원론적으로 '국가라는 것이 도대체 무엇이냐?' 라는 질문을 해보는 겁니다. 그렇다면 어떤 인간들이 모여 살고 서로서로 나누기 위해 어떻게 살아가야만 하는지 관해서 고민해 보는 겁니다. 그런데 그러한 아이디어는 지금 없어져 버렸죠.

점점 서구가 근대화될수록 개인주의가 되고, 자기를 중요시하게 됐죠. 근데 고대는 서구조차도 개인적이지 않았어요. 그리스어로 덕을 Arete 라고 하는데 그 일차적 의미는 탁월성입니다. 눈의 덕, 장군의 덕은 눈의 탁월성, 장군의 탁월성이지요. 효율성이 일차로 문제가 됩니다. 그러나 인간의 덕이라고 하면 인간을 전체로 보아야 하는데, 돈을 잘 벌거나 전쟁에 이기는 것으로 불충분하지요. 그래서 인간다움, 인간으로서의 덕성이 나옵니다. 요즘 효율성이 많이 올라갔지만, 효율적인 걸 넘어서는 것은 모르지요. 고대의 많은 아이디어를 보면 많은 지평을 제시해주고 있어요. 현대인의 지평을 넓히는 데 굉장히 중요하다. 이렇게 생각해요.

철학이 던지는
중요한 질문들

Q. <u>아름다움이라는 것은 무엇인가요?</u>

고대 철학은 '아름다움'을 음악에서 나오는 음 간의 질서있는 관계인 하모니로 보았어요. 두음이 1:2의 비율을 가졌을 때 옥타브라고 하는 조화가 생기는 것처럼요. 이때부터 아름다움의 본질에 대한 고민이 시작됐어요. 그래서 수적인 비율이 아름답다고 생각했어요.

아름다움이란 부분들이 전체적으로 조화가 이뤄져야 한다고 보았지요. 더 나아가서 아름다움의 원천에는 합리적 기준이 들어있다고 생각했어요. 대표적으로 피타고라스 같은 경우 수학자기도 하고, 음악가기도 하죠.

Q. 인간의 사랑은 어떻게 시작을 하게 되었나요?

그리스에서 사랑은 흔히 다룰 수 있는 주제가 아니었어요. 오히려 꺼리는 점들이 있었지요. 그 부분은 그리스에서 장점이기도 하고 단점이기도 한데, 사랑이 일종의 감정이라고 생각할 수 있잖아요. 근데 감정의 특성은 불안정성이에요. 아무리 예쁜 여자를 만나 빠져도 또 더 예쁜 사람이 지나가면, 끌리죠. 모든 사람이 마찬가지죠. 그럼 삶의 안정성, 안락함 같은 것이 다 빠져요.

이렇게 원리는 없고 단지 감정만 있는 것에 대해선 높은 평가하지 않아요. 그런데 사랑에 대해서 높이 평가한 것은 기독교가 들어오고 나서부터고, 그리스 사회에서는 사랑이 플라톤의 〈향연〉에서 나왔어요. 쉽게 말해서 플라토닉 러브인데 플라톤식으로 물어보자면, 내가 누군가를 사랑한다면 단지 그이기 때문에 사랑하느냐, 아니면 그가 아름다워서 사랑하느냐는 질문을 던진 것이지요. 단지 그이기 때문이라면 우리의 사랑이 다른 사람으로 넘어가게 될 이유가 없지요. 그래서 사랑한다는 것은 '그 대상 자체보다는, 그 대상이 구현해 내고 있는 아름다움일 것이다.' 라고 생각했어요.

그러나 아름다움에 대한 추구는 발전하게 되어 있는데, 맨 처음에 육체적 아름다움에서 시작하다가 정신적인 아름다움으로 넘어가고, 정신적인 아름다움을 넘어서, 학문의 아름다움을 넘어서 결국에는 미 그 자체, 즉 미의 이데아까지 이른다. 이렇게 말했는데. 플라톤이 생각하는 좋은 사랑이란, 상대편 속에 아름다움을 발견하고 그 아름다움을 북돋아 주는 것이에요. 우리가 연애할 때 보통 감정적인 진창에 푹 빠지는데, 내 속에 아름다움을 상대방이 보고 상대방의 아름다움을 내가 복 돋아주고, 사랑의 결실로 아이를 낳듯이 시도 쓰고 음악도 만들죠. (정신적 아름다움의 자식들 : 시, 음악 등) 이렇게 추상적으로 생각해 볼 수 있죠. 그러나 그리스에서 감정적 사랑에 대해서는 낮춰 평가했던 건 사실이에요. 말썽을 피우잖아요.

Q. 우리는 왜 우리 자신을 알기 위해 노력해야 하나요?

자신을 모르면 뭐가 되겠어요. 동물과 다름이 없잖아요. 개미들의 사회가 더 좋아요? 인간의 사회가 더 좋아요? 개미의 사회는 체계적이고 더 잘 짜여 있어요. 장점은 효율적이죠, 그러나 뭐가 빠져요? 자기 자신이 다 빠져 있잖아요. 그것이 취약점이에요.

그러나 인간은 본능으로만 살지 않죠? 인간은 어떤 의미에서 굉장히 본능에 따라 보자면 부족한 존재예요. 학생들 키우려면 엄청나게 돈 들여야 하잖아요. 이건 동물의 세계와 곤충의 세계에서는 수지가 안 맞는 거예요. 그런데 인간은 그 본능의 세계를 넘어서 사유의 세계, 어떤 이런 추상적이고 보편적인 세계로 들어갔죠.

인간의 세계는 자기 반성적 세계로 합리적인 제대로 된 사고를 하는 존재들이 모인 사회죠. 자기를 모른다면 곤충의 세계, 동물의 세계 이런 쪽으로 매몰 될 수밖에 없죠.

Q. 철학이 세상을 바꿀 수 있나요?

철학이 바꿀 수 있는 것은 일정한 차원의, 어떤 것뿐이에요. 그러니까 예를 들어서 나 같은 경우는 신자유주의적인 구조조정에 반대해요. 신자유주의적 사고는 잘 돼도 학문을 위축시키고 사회적으로도 이롭지 않을 것이라고 해요. 예를 들면 무기를 잘 만들면 어떻게 되겠어요? 잘 죽이겠죠. 이게 사회에 이득일까요? 왜냐하면, 내가 잘 살육할 준비를 하면 상대도 또한 무기를 개발할 테니까요. 이것은 군비경쟁만 낳죠.

사회를 바꾼다는 것은 여러 가지 다양한 차원의 다양한 작업이 같이 병존할 때 이루어진다고 생각해요. 철학도 당연히 할 수 있어요. 해야 하고요. 다만 철학 혼자의 작업이 아니라, 사회과학이나, 심지어 공학이나 경제학까지도 같이 들어가는 작업이라고 생각돼요. 사실 인구문제만 해도 그리 간단한 문제는 아니잖아요. 철학적 반성만이 아니라, 사회적 수단이 필요하지요. 의학의 예를 들어 봅시다. 이름도 좀 야릇하죠. 에볼라? 그게 이미 알려진 지는 오래되었어요. 그러나 아프리카와 같이 가난한 나라에서 문제를 일으키니 아무도 신경 안 써요. 그러나 부유한 지역에서도 퍼지기 시작하니 이제 곧 치료제가 나오겠죠? 의약 발전이 이렇게만 이루어진다면 좋은 것만은 아니겠죠? 철학이 제시해주는 건 이념과 가치라고 생각해요. 하지만 이루는 것은 꼭 결합이 되어야 실현 가능하다고 생각해요.

Q. 20대 청춘들에게 추천해주고 싶은 책과 그 이유?

철학 하는 사람으로서는 플라톤의 『국가론』을 한 번쯤 읽어보라고 하고 싶기도 해요. 단순히 철학책만이 아니라 교육, 정치, 심리 등등 정말 많은 내용이 들어있어요. 그래서 한 권을 들자면 내 전공에서는 플라톤의 국가론을 추천해주고 싶어요. 좀 가볍게 읽고 싶다면 소크라테스의 『변명』도 추천해주고 싶긴 해요. 깊이 있게 이해를 안 해도 우리에게 통찰력을 주는 게 많으니까.

Q. 20대 청춘들에게 한마디 부탁한다면?

한 번쯤 자기 자신 자체가 되어 봤으면 좋겠네요. 고등학교, 대학교. 지금은 취직해야 하거나 대학원에 가야 하죠. 자기가 가장 좋아하는 것, 가치 있는 것 하고 싶은 것. 이런 걸 대학 다닐 때 한 번 고민해 보고 발견하려고 노력해보라는 것이 나의 충고긴 해요. 자기가 된다는 것은 가장 중요한 소크라테스의 과제이기도 했고요. 자기가 누구인지 그리고 스스로 무엇을 생각하는지 확인해 봐라. 그런 것들이죠.

PART 10

장 회 익 교 수 님 (서 울 대 물 리 학 과)

"

진정한 과학자는

자신이 학문을 위해 태어난 사람이라고 생각하고,

진정한 인문학자는 학문이 자신을 위해 있는 것으로 생각하는 사람

"

우주란
무엇인가

Q. <u>우주란 무엇이고 우주는 어떻게 시작되었나요?</u>

우주란 우리가 생각할 수 있는 모든 것입니다. 즉 존재한다고 여기고 존재한다는 실증적 증거를 댈 수 있는 모든 것이라 할 수 있어요. 그러나 통상적으로는 이 모든 것의 물질적 측면을 지칭하는 것이 보통이에요. 하지만 이미 말한 것처럼 우리의 주체 의식 또한 이것과 분리되어 존재하는 것이 아니기에, 인간의 정신세계까지도 이 안에 담긴다고 보는 것이 옳을 것입니다.

그런데 우주는 외형적으로는 시간과 공간 안에 담긴 존재라고 볼 수 있어요. 그리고 현대과학이 제공할 수 있는 최선의 지식에 따르면, 지금까지 지나온 우주의 시간과 공간은 유한하며, 따라서 그 시작점 또한 존재했어요. 우주는 지금부터 대략 138억 년 전에 대폭발Big Bang이라는 커다란 사건과 함께 시작된 것으로 봅니다. 이때에 시간과 공간 또한 함께 발생했고, 이후 공간이 점차 팽창해나가고 있다고 봐요. 초기에는 모든 에너지가 좁은 공간 안에 갇혀있어서 매우 뜨거웠고, 이후 공간이 커지면서 온도가 급격히 식어가는 과정에 여러 가지 모습의 물질적 형상들이 생겨났다고 봅니다.

Q. 우주를 알아가는 것의 의미?

우주의 비밀은 계속 풀려나가고 있으며, 이에 따라 인류의 자신과 주변에 대한 이해도 점점 깊어지고 있어요. 우주와 자신에 대한 이해가 심화 될수록 장기적인 생존에 도움을 받을 수 있을 거예요. 하지만 얕은 지식을 성급하게 활용함으로써, 자신과 생명 전체의 생존을 오히려 위태롭게 하는 어리석음은 범하지 말아야 해요.

Q. 제2의 지구가 발견된다면 우리의 삶은 어떻게 될까요?

'제2의 지구'라고 하면 아마도 우리 지구와 여건이 비슷한 외계

행성을 의미할 것입니다. 정도의 차이는 있지만 지금도 이러한 것들이 꾸준히 발견되고 있어요. 그리고 이러한 곳에 '제2의 생명'이 서식할 가능성도 있지요. 단지 우리가 이러한 곳을 직접 방문한다거나 이주하여 살게 될 가능성은 극히 적어요. 우선 거리가 너무 멀어 빛의 속도로 가더라도 몇십 년에서 몇만 년이 걸릴 것이고, 설혹 생명의 서식이 가능하더라도 우리가 가서 적응할 정도도 우리 지구 여건과 유사하리라는 기대는 거의 할 수가 없습니다.

Q. 시간이란 무엇인가요?

현대과학은 시간을 4차원 구조를 이루는 이른바 '시간 공간'의 한 성분을 이루는 존재로 봐요. 공간과 분리되어 독자적으로 존재하는 것이 아니라 공간과 합쳐져 있다고 보는 것이죠. 그렇다고 우리 일상을 통해 경험하듯이 시간이 공간 차원들과 구분되는 특성이 전혀 없는 것은 아니에요. 이러한 외형적 차이가 있다고는 해도, 더 깊은 자연의 원리들을 형성하는 면에서, 시간이라는 성분은 공간이라 불리는 성분들과 같은 역할을 하고 있다는 것이죠.

인 간 의
앎

Q. <u>인류의 진보는 어떻게 이루어진다고 생각하시나요?</u>

가장 중요한 것은 의식의 진보라고 생각해요. 이것은 지금까지 의 물질적 진보와 대비되는 개념이에요. 오랫동안 인류는 자연이 주는 역경을 헤쳐나가며 생존의 여건을 증진하는 것을 진보라 생 각했어요. 그리고 이른바 과학기술을 통해 물질적 여건이 주는 많은 어려움을 제거하는 데에 성공했지요. 그러나 이것은 다시 새로 운 문제들을 낳고 있어요. 우리의 더 큰, 그리고 더 장기적인 생존 여건을 파괴하고 있다는 것이지요. 그런데 문제는 이것이 우리의 근시안적 시각 안에서는 잘 보이지 않는다는 것입니다. 그러니까

이 모든 것을 꿰뚫어 볼 수 있는 새로운 시각이 필요한데, 이것이 바로 의식의 진보에 해당하는 것입니다.

Q. 인간의 앎은 어떻게 이루어지나요?

우리 생존에 필요한 일차적인 앎은 이미 우리의 본능 속에 마련되어 있어요. 다른 동식물이나 마찬가지로 특별한 교육을 수반하지 않더라도, 자연 속에서 생존할 수 있고 또 그렇게 생존해 왔지요.

그런데 점점 생존의 여건이 달라지고 또 더 나은 방식의 삶을 추구하게 됨에 따라, 이에 필요한 더 정교한, 그리고 더 폭넓은 앎이 필요해졌어요. 이에 맞춰 인류는 더 향상된 두뇌구조를 가지도록 진화해 왔지요. 그리고 다시 이 두뇌구조를 통해 의식적인 앎의 추구가 가능해졌고, 이것이 교육을 통해 사회적으로 공유되고 세대에서 세대로 전해지게 되었어요.

특히 지난 몇 세기를 통해 '과학'이라고 하는 새로운 형태의 체계적 앎의 추구 방식이 마련됨으로써, 인간의 앎은 폭발적으로 향상되고 있어요. 그러니까 이제 우리의 삶은 이러한 좀 더 정교하고 폭넓은 앎을 통해 좀 더 바르고 보람된 방향을 찾아 나가게 되는 것이지요.

Q. 과학적 통찰력이란?

한 마디로 과학적 원리에 따라 사물을 뚫고 들여다보는 능력이라고 할 수 있어요. 예를 들어 두뇌의 기능을 벗어난 사고를 할 수 없다든가, 합리적 근거를 전혀 가지지 않은 옛사람의 글 속에 미래에 대한 예측이 담길 수 없다는 사실 등은, 과학적 통찰력을 통해 알 수 있는 내용이지요.

과학적 통찰력을 기르기 위해서는 먼저 과학이 어째서 신뢰할 만한 앎의 체계인가를 이해하고, 기본이 되는 과학적 원리들을 체계적으로 파악해야 해요. 이를 통해 사물의 면모들을 항상 과학적으로 이해하는 습관을 길러야 합니다. 가장 손쉬운 일들이 바로 계절의 변화가 생기는 이유라든가, 물체에 색깔이 나타나는 이유, 천둥 번개가 생기는 이유 같은 것들이지요. 그리고 왜 사람의 몸에는 오관이 있어서 사물을 파악하게 되는지, 중추신경계는 어떤 역할을 하는지, 사람의 사고는 어떻게 해서 형성되는 것인지 등을 과학적으로 묻고, 그 대답을 찾아 나가는 일이지요.

Q. 인문학과 자연과학은 어떻게 융합하나요?

이것을 위해 먼저 내가 생각하는 과학과 인문학의 차이를 말해 보겠습니다. 저는 본래 자연과학을 해 온 사람이고 지금도 하고 있지만, 언젠가부터 내가 하는 과학이 내 삶 안에서 어떤 의미를 지니는가를 생각하고 이야기하면서, 다른 사람들이 나를 인문학자로 대우하기 시작했어요. 한 마디로 학문의 내용이 단순한 호기심의 대상이라거나 삶을 위한 수단이 아니라, 삶의 방향을 제시하는 의미 체계의 일부로 간주 될 때 이것은 이미 인문학이 되는 것으로 봅니다.

그러니까 인문학과 자연과학의 융합을 위해서는, 자연과학 쪽에서 먼저 자신의 학문 안에 삶의 의미와 방향을 제시해줄 내용이 무엇인가를 살펴, 이를 외부로 알리는 노력이 필요할 것이며, 인문학 쪽에서도 자연과학의 내용 안에 이러한 것이 있는가를 살펴 이를 흡수하려는 노력이 필요하다고 봐요.

저 개인적으로는 이렇게 생각해요. 진정한 과학자는 자신이 학문을 위해 태어난 사람이라고 생각하고, 진정한 인문학자는 학문이 자신을 위해 있는 것으로 생각하는 사람이라고요. 이런 점에서 나는 진정한 과학자이면서 동시에 진정한 인문학자가 되려고 노력하고 있어요. 이러한 노력을 하는 사람이 많이 나타나고 그러한 노력이 성공을 거둘 때, 비로소 과학과 인문학의 진정한 융합이 이루어지지 않을까 생각합니다.

온생명
사상에 대해

Q. 생명이란 무엇인가요?

정말로 중요하고도 어려운 물음이에요. 아직도 학자들 사이에 합의된 생명의 정의가 없을 정도에요. 물론 '생명이란 무엇인가?'라는 제호로 발간된 책들은 이미 여러 권 있어요. 그러나 이 책들이 말하는 내용도 모두 크게 다르다고 할 수 있어요. 이 점에 대해서는 제가 최근에 펴낸 『생명을 어떻게 이해할까?』라는 책에 비교적 자세히 서술해 놓았습니다. 여기서 내가 강조하고 있는 점은, 우리가 기존에 지니게 된 생명 개념, 곧 메뚜기 한 마리, 소나무 한 그루가 각각 생명을 가지고 있다는 생각으로는 생명을 이해할 수 없다는 거예요. 이것들은 '낱생명'이라 할 수 있는데, 생명을 이러한 낱생명을 통해서가 아니라 더 큰 생명의 단위인 '온생명'을 통해 비로소 이해할 수 있어요. 낱생명들은 결국 온생명에 연결된 하나하나의 부분들에 해당하는 것인데, 그러니까 나무 한 그루를 온생명이라 할 때, 낱생명들은 여기에 달린 나뭇잎들에 해당하는 것이지요. 그동안 생명을 이해하기 어려웠던 것은 나무를 보지 않고, 나뭇잎들만을 통해 나무를 이해하려 했기 때문이라 할 수 있어요.

Q. '온생명' 사상이란

'온생명' 사상이라는 말의 의미를 좀 더 명확히 해야겠군요. 우선 좁은 의미의 온생명 사상이라는 것은 지난 이삼십 년간 제가 '온생명'이라는 개념을 만들고, 이것에 관해 이야기해 온 주요 내용이라 할 수 있는데, 이것이 현대 정신의 한 흐름이라 말할 수는 있겠으나, 이것이 아직 현대의 정신사 안에 편입되어 논의될 단계에 이르지는 못하고 있어요. 반면 생명을 이해하는 한 방식으로서 온생명적 관점을 취하는 것은 이미 많은 사람의 의식 속에 들어있던 것이며, 특히 현대 생태적 위기를 겪으면서 이러한 의식이 급격히 고양되고 있지요. 이를 좀 더 넓은 의미의 '온생명 사상'이라고 한다면, 이것은 분명히 현대의 정신사 안에 중요한 한 위치를 이미 점유하고 있다고 할 수 있습니다. 그러나 이것이 아직은 현대 문명의 방향을 바꾸어 놓을 단계에는 이르지 못하고 있으며, 그렇기에 문명의 위기는 계속되고 있어요.

Q. 온생명 사상을 만들어 내시고 이론을 정립하기 위해서 어떠한 과정의 노력을 하셨나요?

궁극적으로는 물리학을 바탕으로 생명을 이해해 보려는 시도였다고 말할 수 있어요. 그러나 처음에는 나 자신을 낱생명을 생명으로 보고 이것이 어떻게 이해될 수 있는가를 진지하게 살펴보았어요. 그러나 아무리 해도 이 방법으로는 생명을 이해할 수가 없었어요. 그리고 뒤늦게 생명이란 오직 온생명으로 보아야 만 이해될 수 있는 것임을 깨달았지요. 온생명을 먼저 이해하고 나면 그 한 부분인 낱생명들도 따라서 이해할 수 있어요. 나 개인으로서는 1960년대 말부터 생명을 이해하겠다는 생각을 하고 있었고, 1970년대 중반에 어렴풋이 온생명 개념을 떠올렸으며, 1988년에 이르러 처음으로 이러한 생각들을 글로 써내기 시작했습니다.

Q. 20대 청춘들에게 한 마디

우선 자연과학을 포함한 모든 소중한 앎을 수용할 수 있는 통합적 이해의 틀을 갖추어 달라는 것입니다. 우리는 지금 너무도 일찍 부분적 지성만이 가능하다는 신화에 길들고 있어요. 당연히 전문성도 필요하지만, 이에 앞서 전체를 파악하고 이에 맞추어 사물을 이해하는 능력이 더욱 중요해요. 삶을 위한 지혜는 이 전체에 대한 이해에서 오는 것이지 결코 부분적 지식에서 오지 않습니다.

Q. <u>20대 청춘들에게 추천하는 책</u>

　글쎄요. 사람들도 너무 다르고 책들도 너무 다르기에 각자 자신에 맞는 책을 자신이 찾아내도록 하는 것이 가장 좋은 방책이라고 봐요. 그래도 꼭 권하고 싶은 한 권이 있다면 제가 최근에 쓴 『생명을 어떻게 이해할까?』(한울. 2014)라는 책입니다. 물리학에 바탕을 둔 쉽지 않은 책이지만, 충분한 지적 긴장을 동반한다면 전공에 무관하게 대학생이면 누구나 읽어낼 수 있는 책이라고 봐요. 우주와 생명 그리고 자기 자신에 이르기까지의 주요 과정을, 하나의 단순한 구도를 통해 이해하도록 시도한 책이에요.

－

경 제

．

정 책 학

－

박 재 완　교 수 님　(성 균 관 대　행 정 학 과)

"

큰 소리로 끝까지 두드리면

반드시

누군가는 깨울 수 있습니다.

"

정책이 우리 삶에
미치는 영향

Q. 정책이란 무엇인가

　　정책은 정부의 의지를 담아서 현재를 변화시키고, 좀 더 바람직한 상태에 도달하기 위한 수단이에요. 더 바람직한 상태로 가려면 여러 난관을 거쳐야 하지요. 먼저, '과연 바람직한 것이 무엇이냐'에 대한 논쟁입니다. 그다음으론, 바람직한 결과에 이르기 위한 다양한 선택의 경로 중에 어떤 것을 선택해야 하는지 고려해야겠죠. 또, 어떤 경로를 선택하는 것이 가장 비용이 적게 드는지 고려해야 해요.

예컨대 '우주 개발에 도전해서 달을 넘어 화성까지 가고 싶다.' 라는 국민의 염원이 있다고 합시다. 이를 위해선 단계적으로 거쳐야 하는 과정도 있고, 수반되는 비용, 목표를 달성하는 대신 포기해야 할 다양한 대안 등을 고민해야 해요. 이런 고민의 기초가 되는 지식, 전문성, 시각, 논리를 제공해주는 것이 정책학이라고 보시면 돼요.

Q. 정책과 현실의 괴리

민주주의를 기초로 정부와 그 구성원을 구성해요. 정부를 움직이는 사람들이 내놓는 정책에는 일반 국민들의 생활, 이해관계, 염원을 투영한 것도 있지만, 우리가 보기에 좀 이상하다 싶은 것도 있어요. 이것을 '정부실패'라고 하지요.

'정부실패'에는 여러 원인이 있어요. 첫 번째로 대의민주주의가 가지고 있는 한계(부작용)이에요. 대통령이든 국회의원이든, 정책을 다루는 사람들이 국민의 표심을 의식해 이용하려는 경향이 있어요. 우리나라뿐만 아니라 선진국도 마찬가지예요. 백 년 뒤에 보면 이게 바람직하지 못한 정책인데, 당장은 국민들에게 인기가 있을 수 있는 정책들이 있어요. 선거가 주기적으로 다가오기 때문에, 항상 정부를 움직이는 사람들의 목표는 차기 선거 또는 의석 과반수 확보가 될 수밖에 없거든요. 그러다 보니 표심을 얻어오기 위해 품질이 낮은 정책을 선보이곤 하지요.

모든 국민이 정치에 관심이 있는 것은 아니거든요. 그중에 특별히 조직화 된 단체에서 목소리를 내는 사람들이 있지만, 정부정책에 영향력을 전혀 행사하지 못하고 또 마음속으로는 불쾌함을 느끼면서도 불평할 시간적 여력도 없고, 조직화 되어 있지도 않은 사람들도 있죠. 대체로 목소리 높은 집단들의 이해관계가 투영된 정책들이 꽤 많아요. 그래서 일반 국민들이 느끼기에는 실생활과 정책과의 거리가 생기게 되는 것이죠. 학술적으로는 이런 현상을 'pork barrel'이라고 해요. 목소리가 큰 사람이 정책이 만들어지는 과정에서 더 높은 지분을 행사하는 경향이 많아질수록, 국민들의 실생활과 괴리가 있는 정책들이 양산될 가능성이 높아요.

Q. 정책의 사각지대를 어떻게 해결할까

어떤 변화에 이익을 보는 사람도 있고, 손해를 보는 사람도 있죠. 예컨대 미국과 FTA를 체결할 때 당연히 미국에 상품을 수출하는 업자들은 이익을 보게 될 것이고, 농수산을 국내에 공급하던 사람들은 손해를 볼 수 있잖아요? 그런 정책들이 대단히 많아요. 이럴 때 제가 생각하는 판단 기준은, 이익 보는 사람들과 손해 보는 사람들을 종합해서 봤을 때, 나라 전체에 이득이 되는지 여부입니다. 이익이라고 판단되면 바람직한 변화라고 생각하고 변화를 도모해야 하죠.

변화를 통해 이익을 얻는 사람들이 손해 보는 사람들에게 일부를 보상해주면, 불만은 줄어들고 사회 전체의 복지도 올라가거든요. 원칙적으로 득과 실을 따져서 득이 더 크면 정책을 실행하되, 득을 본 사람들이 이익 일부를 손해 본 사람에게 보상을 해주면 모두가 만족할 수 있죠. 그래서 한미 FTA 체결 이후 후속 대책으로 농민들과 가축을 키우는 사람들에게 보상을 해주는 논리와 같아요. 여기서 득을 본 사람들은 소비자인 모든 국민이기 때문에 세금을 사용해서 농업이나 축산분야에 지원을 해주는 식이죠.

우리 사회에서
정책이 가야 할 길

Q. 정부의 시장 개입에 대해

일명 '독과점' 상태에 있으면, 경쟁 없이 땅 집고 헤엄치게 되거든요. 또, 경쟁하지 않아 느슨하게 돼요. 경쟁이 있으면 열심히 하고 아이디어도 잘 나오는데, 독점되어 있으면 느슨하단 말이에요. 정부도 대체로 독점이기 때문에 느슨하게 근로 강도가 낮아요. 시장에도 독과점 상태를 비롯한 여러 문제가 있어요. 그래서 정부가 개입해 규제하지요. 주유소를 보면 $1l$에 휘발유 2,000원, 경유 1,000원 이렇게 쓰여 있어요. 이게 정부에서 규제해놓은 거예요. 주유소에서 써 붙이고 싶어서 써놓은 것이 아니고, 정부에서 규정해놓은 것이거든요. 밖에서 봐도 소비자들이 판단할 수 있도록, 정부가 시장에 개입해서 경쟁을 촉진하도록 만든 것이지요. 시장이 실패할 때 정부가 실패를 줄일 수 있도록 개입을 해야 해요. 이게 정부의 존재 이유라고 볼 수 있어요.

문제는 정부의 시장 개입 때문에 오히려 역효과가 날 수도 있다는 것이죠. 예를 들면, 'air bnb'는 전 세계에서 가장 큰 숙박정보 제공 서비스에요. 우리가 흔히 알고 있는 세계에서 가장 큰 호텔이 '힐튼호텔'(하루에 40만 개 방을 제공)인데, air bnb는 그보다 더 많은 방을 제공합니다. 일종의 호텔 플랫폼인데요. 하루에 60만 개 방이 나와요. 방을 빌려주고 싶은 사람은 이 플랫폼에 정보를 올려요. 호텔이 아니라도 우리 집에 손님을 받고 싶으면 플랫폼에 올립니다. 전 세계 사람들이 방을 올려요. 미국 대학생이 만든 이 플랫폼은 주식 가치가 엄청나요. 이런 플랫폼을 모방하여 우리나라에서도 한 대학생이 실행했는데, 신용카드를 이용해 영업하려고 하니까 정부에서 신용카드업 허가를 받지 않았다고 영업을 제한해 버렸어요. 정부의 개입이 심하면 이런 문제들이 생겨요. 즉 정부가 너무 간섭하면 안 된다는 것이죠. 미국은 하고 싶은 대로 하도록 자유롭게 놔두는 분위기에요. 미국 건국이념 자체가 왕정에서 속박받다가 자유롭게 살고 싶은 사람들이 건국했기 때문에, 개인의 자유를 최대한 존중하거든요. 자유로운 이념 때문에 미국 경제가 강하다고 생각해요. 자유의 이념 바탕에서 스티브 잡스, 페이스북 등 인류의 생활을 바꾼 위대한 기업가, 기업들이 많이 나왔습니다.

Q. 경쟁과 공동체적 가치의 균형

이는 사실 시대의 화두라고 할 수 있고, 학자들이 끊임없이 고민하는 과제에요. 이런 문제는 법, 사회, 문화, 양심 등이 전반적으로 보완돼야 해요.

죽을 때 상속세를 100% 내야 한다면 어떻게 될까요? 계속 자산을 모을 인센티브가 없어지고, 죽기 전에 돈을 다 쓰자니 터무니없는 낭비가 될 수도 있고, 자포자기하는 상태도 올 수가 있죠. 그래서 상속세 100% 내는 나라는 아무 데도 없어요. 그렇다고 0%도 말이 안 되죠.

스웨덴 경제의 약 70%는 발렌베리 가문이 쥐고 있어요. 발렌베리 가문은 사회 환원을 위해 장학금을 내놓고 자선활동을 왕성하게 해요. 그래서 스웨덴 국민들은 발렌베리 가문을 인정하고 존경합니다. 이렇게 가진 자의 도덕적 책무가 확산된 문화적 풍토가 만들어져야 해요. 또, 정부나 잘사는 사람들이 패자나 약자를 위해서 재기할 수 있도록 도와야 해요. 그리고 중증 장애우들에게는 최소한의 생활을 보호한다든지, 정말 머리는 좋은데 돈이 없어서 고등교육을 받을 수 없는 학생에게는 금전적인 지원을 해줘야 합니다.

종합하면 시장경제체제를 원칙으로 하되, 그로 인한 문제점들은 정부가 다양한 제도와 정책으로 보완하고, 사회 전체 문화와 건강한 윤리적 책무가 확립되어야 한다고 생각해요. 미국 메이저리그 선수들이 홈런 한 번 치면 얼마씩 기부하는 것이 보편화 되어 있잖아요. 그런 것을 소홀히 하면 오히려 이상하게 보는 경향이 있어요. 스티브 잡스 같은 경우는 기부를 많이 하지 않아서 인간성에 대해 의심을 받기도 하는데 그는 기술혁신을 통해서 세계 인류에 큰 공헌을 했고, 본인은 기부보다 기술혁신이 훨씬 급하다고 생각했죠. 대체로 선진국의 자본가들은 그들의 부에 걸맞은 기부를 많이 해요. 이렇게 노블레스 오블리주Noblesse oblige와 정부 정책이 잘 조화가 이루어져야 한다고 생각해요.

Q. 성장과 분배

성장하지 않으면 분배가 있을 수 없어요. 이건 수레의 양 바퀴와 같아요. 파이가 커지지 않는데 나누어 먹기만 한다면, 결국엔 파이가 고갈되고 뒷걸음칠 수밖에 없죠. 반면에 분배가 제대로 안 되면 성장이 지속 가능하지가 않아요. 분배와 성장은 같이 가는 것입니다. 그런데 기본적으로 성장이 필요조건이고 분배는 충분조건이에요. 성장을 하면 분배상태가 나아져요. 우리나라 경우도 그렇고요. 그래서 분배를 너무 강조하면 성장이 안 되고, 분배가 악

화돼요. 성장이 안 되면 없는 사람이 더 피해를 봐요. 있는 사람은 먹고사는 데 지장이 없는 데에 반해, 없는 사람은 교육과 복지가 줄어드는 등 피해를 봐요. '성장'은 꼭 필요한데 성장만으로는 안 되고, '분배'라는 충분조건이 필요합니다.

성장과 분배를 동시에 촉진하는 게 무엇이냐면 '교육'이에요. 우리나라가 발전한 것을 보면 교육의 역할이 지대함을 알 수 있어요. 그리고 두 번째는 '일자리'입니다. 제가 말하는 '일하는 복지(WORK FARE)'입니다. 일을 열심히 하는데도 못사는 사람들이 있어요. 소위 근로 빈곤층이라고 하죠. 그분들께는 정부가 여러 가지 복지혜택을 줘야 해요. 일을 안 하고 복지 혜택받는 사람들이 있어요. 노숙자가 대표적이죠. 이런 사람들한테는 정부가 혜택을 주기보다는 일할 수 있는 여건을 만들어 줘야 해요. 복지의 종착역은 자활이지 복지 그 자체가 아니에요. 정부의 낭비도 없애고 모두 다 열심히 일하면서 사는 사회를 만들어야, 가족해체 등 많은 문제가 해결됩니다.

Q. 자본주의가 추구해야 할 방향은?

요즘에는 '자본주의'라는 용어를 안 써요. '시장경제'라고 하죠. OECD 회원국이 되려면 두 가지를 존중해야 해요. 첫째는 민주주의, 둘째는 시장경제입니다. 이 두 가지를 지켜야 가입을 할 수 있어요.

기본적으로 시장경제는 집단보다는 개인을 중시해요. 개인의 자아를 인정하고 개인이 자유롭게 활동하고 아이디어를 내는 등, 개인의 가치를 우선으로 삼는다고 생각하면 돼요.

인간은 경제적인 본성을 가지고 있어요. 합리적이라고도 할 수 있고요. 사람은 되도록 자원을 덜 쓰고 최대의 성과를 얻으려고 하죠. 가장 짧은 시간에 가장 적은 비용으로 가장 많은 성과를 얻어내려 하는 게 본성이라고 생각해요. 이 본성과 부합하는 것이 시장경제라고 봐요. 그리고 파이가 커지려면, 누군가가 참신하고 기발하고 엉뚱한 아이디어를 내서 현재보다 더 나은 상태로 나아가야 해요. 예를 들면, 인터넷, 스마트폰, 드론 등은 발명에 따른 보상이 적정하게 주어져야 등장하게 되죠. 인센티브와 유인기제를 가장 잘 담고 있는 것이 시장경제 체제에요. 사회주의 경제 체제는 개인보다 집단의 이익을 중시하다 보니, 개인이 열심히 해도 그것이 집단의 성과로 돌아가고, 개인에게는 1/N이 되어 버리죠. 차라리 열심히 하는 척만 하고 느슨하게 일을 하는 게 나에게 더 도움이 된다고 생각을 하죠. 혹시 군대에서 목봉 체조해보셨어요? 맨 끝과 맨 앞사람이 제일 힘들고, 가운데에 있는 사람들은 그렇게 힘을 들이지 않아도 되죠. 어떤 사람은 가운데에서 매달려 있기까지

하죠. 누구나 자율과 책임을 주면 최선을 다할 수밖에 없는데, 다같이 하면 차선, 차차선의 길을 찾게 되거든요. 그러니까 개인의 목표함수와 조직의 목표함수는 같아지기가 굉장히 어려워요. 그런 면에서 시장경제체제를 뛰어넘을 체제는 아직 발명되지 않았다고 생각해요. 다만 순도 100% 시장경제체제를 고집하기보다는 시장경제 원칙을 기본으로 하되, 그 문제점을 보완하는 체제로 가야 한다고 생각합니다. 자본이 앞으로 추구해야 할 방향이기도 하구요.

20대에게
전하는 한마디

Q. 20대 학생들에게 추천하고 싶은 책?

　토마스 셸링의 『미시동기와 거시행동』 이라는 책이 있어요. 사회 현상을 심층 분석해서 이해하는 데에 상당히 도움이 돼요. 선택의 과정에서 나의 선택이 타인에게 영향을 미치고, 타인의 영향이 나에게 영향을 미치는 원리와 과정을 분석하고 있습니다. 상호의존 형태를 분석한 책이에요. 공감이 가는 참 적절한 예가 많이 나와서 사회현상을 이해하는 데 큰 도움이 될 것으로 생각해요.

Q. 20대 학생들에게 꼭 전하고 싶은 말은?

제 좌우명은 '마행처우역거馬行處牛亦去'예요. 직역하면 말 가는데 소도 간다는 뜻이지요. 즉, 누군가가 한다면 나 역시도 할 수 있다는 것입니다. 큰 소리로 끝까지 두드리면 반드시 누군가는 깨울 수 있습니다. 최선을 다하면 반드시 보람을 느끼게 될 것입니다.

이 정 덕 교 수 님 (전 북 대 인 류 문 화 고 고 학 과)

"

큰 꿈을 꿔라.

그리고 도전하라.

여러분에게 새로운 세상이 열릴 것이다.

"

문화
이해하기

Q. 인류문화의 출발

현생 인류는 보통 20만 년 전에 아프리카에서 나타났고 이들이 전 세계로 퍼진 것으로 보고 있어요. 20만 년 이전에 있던 인류들은 우리와 구강구조가 달라요. 뇌의 크기는 1,400cc 정도로 유사한데, 구강구조가 정밀한 언어를 구사하기에 한계가 있어, 언어를 제대로 구사할 수 없었습니다. 20만 년 전에 우리와 생물학적으로 같은 현생인류가 나타나 구강과 혀를 정확하게 조절할 수 있는 신경 능력이 진화하면서 다양한 발음이 가능해져 점차 언어가 발전하게 되었어요. 그때부터 인류에서 우리가 문화적인 행동이라고 불리는 '수상한 행동들'이 나타났지요. 사람이 죽으면 꽃과 함께 묻는다든지, 벽에 동물 그림이나 추상적인 그림을 그린다든지, 얼굴에 화장하거나 꾸미거나 했지요. 구강구조가 진화하여 언어가 조금씩 발전하면서 개념들도 점차 많아지고 발전하자 개념을 통해 사유가 폭발적으로 증가하면서, 예술, 종교, 초자연적 사유, 추상적 사유가 점차 심화되었어요. 동물들에게선 보기 어려운 것이죠. 이런 예술적, 초자연적, 초월적인 사유와 행동은, 인류가 말을 점차 정교하게 할 수 있게 되면서, 개념들이 늘어나고 이를 통한 생각이 깊어지면서 나타나는 것이죠.

이런 수상한 행동과 사유들이 계속 축적되고 발전하면서, 현대인에게서도 나타나는 추상적 사고, 초월적 사고, 예술적 감흥이 몇만 년 전부터 폭발적으로 증가했어요. 3~5만 년 전에는 이러한 사유는 다양한 그림이나 유물에서 뚜렷하게 나타나고, 이들이 인간을 다른 동물과 구분되는 문화적인 동물로 만드는 데 핵심적인 역할을 했지요.

이러한 문화적 행동과 사유가 축적되면서 인간은 점차 다른 동물과 구별되는 특성들을 보여주기 시작했어요. 인간은 문화를 축적해나가면서, 다른 동물과 다르다는 것을 인식하고, 집단마다 삶의 의미와 양식도 서로 다른 모습으로 발전하게 되었죠. 따라서 지역이나 집단끼리도 서로 다르다는 인식을 하고 살게 돼요. 정신과 문화는 태어나면서 주변인과 소통하며 발전하기 때문에 시간이 지날수록 소통하지 않는 집단과의 차이가 더욱 벌어지게 되지요. 그렇게 지역과 집단마다 다른 식의 사고와 문화가 축적됩니다. 서로 다른 정령을 모시고, 다른 신을 섬겨요. 상당히 다른 인간관계를 형성하게 되고, 다른 세계관을 가지게 돼요. 서로 다른 정신적 사유가 축적되어 다른 문화로 더욱 발전하면서, 언어와 문화를 매개로 우리 집단과 타 집단을 구분하죠. 언어와 문화는 인류를 동물과 구분하는 절대적인 역할을 했지만, 인간들 사이에서도 집단과 집단 사이를 구분하는 경계가 되기도 해요.

이 당시의 인간들은 이러한 과정을 신화적으로 설명하였죠. 그래서 각 부족이나 민족이나 집단들이 우주, 자신들의 탄생, 우주와의 관계, 동식물과의 관계, 초자연적인 존재, 타 집단과의 관계, 삶의 과정과 의미 등을 설명하는 다양한 신화들을 발전시켜왔고 이러한 신화들이 당시의 수준에서는 세상을 가장 합리적으로 설명해주는 집단지성이었습니다.

Q. 인간은 왜 문화를 향유 하는 것일까요?

인간은 다른 동물과 달리 사유하는 동물이에요. 다른 동물과의 결정적인 차이는 두뇌고요. 우리가 두뇌를 사용해서 사유하는 것 자체가 문화적 과정이에요. 여러분들이 언어 없이 사유하고 생각해본다고 가정해보세요. 가능해요? 언어나 개념이 없으면 아주 단순한 사고밖에 할 수 없어요. 복잡한 생각을 하려면 머리가 답답해질 거예요. 그냥 본능적인 직관에 의존해서 생각하게 되겠지요. 언어가 있어야 동물적인 사고에서 벗어나 온갖 사고로 발전할 수 있어요. 언어가 없으면 거의 문화가 없다고 볼 수 있죠. 복잡한 문화가 발전하려면 언어는 필수적인 토대에요.

또한 언어의 개념 하나하나가 엄청난 문화적 과정을 통해 생성되고 발전한 거예요. 그 안에 온갖 사고와 전통이 담겨 있어요. 그렇기 언어가 다르면 그 안에 담긴 미묘한 상상력이나 의미나 세계관도 달라요. 어렸을 때 한국말을 배운 사람하고, 어렸을 때 영어를 배운 사람하고 상상과 뉘앙스와 사유가 다른 거예요. 언어 안에 다른 감성과 의미와 가치가 담겨있기 때문이죠. 그래서 문화는 우리가 태어나자마자 부모를 통해 특히 언어를 통해 배우는 것이고, 빠져드는 것이죠. 우리가 사유하는 것 자체에 이미 문화가 작동하여 침투되는 과정이죠.

문화는 기본적으로 아기로 태어나서 자라고 말을 배우고 사회적 교감을 하면서 뇌에 스며드는 것이죠. 이러한 과정은 아주 어렸을 때 무의식적으로 이루어지기 때문에 향유라는 말을 잘 사용하지 않아요. 개별 인간의 사회적 생존에 필요한 필수과정이기 때문이죠. 문화를 향유한다고 할 때는 이러한 무의식적이고 기본적인 문화과정을 말하는 것이라기보다는 역사, 사상, 교양, 예술, 놀이 등 인간이 계속 발전시킨 그래서 좀 더 배우고 노력해야 알 수 있거나 행할 수 있는 것들과 관련하여 말하는 것이지요. 인간이 그동안 발전시키고 축적해온 좀 더 정교해진 인간 문화의 정수를 향유한다고 말하는 것이지요.

문화를 향유한다고 할 때는 이러한 인간문화의 정수를 모든 인간도 적극적으로 참여하고 즐겨야 더 인간적인 삶이 될 것이라는 가정이 깔렸습니다. 문화가 공유된다고 할 때는 어느 집단 안의 인간들은 상호 작용하며 공통의 상상, 언어, 의미를 소통하고 공유하는 성격을 지니고 있다는 점을 말하는 것이고요.

Q. 인간과 침팬지의 차이는?

문화인류학은 문화를 핵심적으로 가르치고 있지만 이러한 문화를 이해하기 위하여 인류의 기본적인 출발점도 가르쳐요. 생물학적 인류학이 공유하는 기본적인 관점에 따르면 인간은 침팬지와 같은 조상으로부터 800만 년 전 정도에 서로 갈라져서 진화했다고 보고 있어요. 그래서 지난 800만 년간 인간이 어떻게 침팬지와 다른 상태의 현재 모습으로 발전해왔는가도 중요한 관심 사항이죠. 왜 갈라져서 다른 방향으로 진화했는지도 아직도 논쟁 중이에요. 현재 침팬지는 여러 종이지만 인류는 한 종밖에 없어요. 지금까지 인류도 수십 종이 진화하면서 나타났고, 200만 년 전에도 여러 인류 종이 있었고, 10만 년 전에도 여러 인류 종이 존재하였지만, 현재는 다 사라지고 한 종의 인류만 남아 있지요. 어떻게 인류가 한 종만 남게 되었는가도 아직 명확하게 밝혀진 것은 아니에요.

침팬지하고 인간의 유전자는 1.6% 정도 차이밖에 없어요. 생물학적으로 보면, 사실 아주 가까운 형제이죠. 유전자적으로 보면 침팬지는 다른 동물보다 인류에 가장 가깝죠. 그렇지만 인간 그렇게 생각하지 않죠. 침팬지는 동물이고 인간은 동물과 구분되는 별도의 존재로 생각하죠. 유전자적 유사성보다 문화적 차이를 훨씬 중요하다고 생각하니까, 침팬지는 동물이고 우리는 동물과 다른 문화적 존재라고 생각을 하는 거죠. 생물학적인 입장은 인간은 유인원이에요. 행동하는 기본 방식, 유전자 코드에 남아있는 것들은 침팬지와 비슷해요. 예를 들면 침팬지 어머니가 자기 자식이 죽으면 자식을 안고 울어요. 엄청나게 슬퍼하죠. 음식도 못 먹고 멍하니 있죠. 우리도 그러죠? 침팬지가 말은 못하지만, 동료들과 연합을 해서 기존의 지도자를 몰아내기도 해요. 인간처럼 사기도 칠 줄 압니다.

물론 우리는 뇌와 얼굴이 발전하면서, 표정을 훨씬 다양하게 지을 수 있지요. 우리는 말로 슬픔을 훨씬 정교하게 표현하죠. 우리는 언어로 훨씬 정교하게 소통하여 여럿이 먼 지역까지 연합해서 반란을 일으키기도 하지요. 침팬지가 슬퍼할 때 우리처럼 정교하게 표현하지는 못하죠. 권력다툼을 할 때 우리처럼 정교하게 하지는 못하죠. 또 말이 없으니 이를 기억하여 친구나 후세로 전달하기도 어렵죠. 인간은 말과 문자 때문에 훨씬 정교하게 표현하고 행동하고 연합하고 전달하고 발전시킬 수 있죠. 그래도 인간도 생물학적 코드가 침팬지와 98% 정도 같아서 행동에서의 유사성이 많죠. 그렇지만 문화는 아예 달라요. 문화적인 측면에서 보면 침팬지는 인간을 흉내조차 낼 수 없지요.

Q. 식인 행위는 문화인가

왜 식인을 할까요? 배고프면 자기 자식 먹을까요? 침팬지도 자기 자식은 안 먹어요. 식인 행위는 가족이나 같은 집단의 사람을 먹는 것이 아니라 다른 집단의 사람을 먹는 거예요. 자기 집단을 식인하는 경우는 거의 나타나지 않습니다. 예를 들어 효자가 자기의 허벅지 살을 베어 어머니에게 드렸다는 이야기처럼 아주 특수한 경우에만 나타나는 것이겠죠.

그렇다면 다른 집단의 사람을 잡아먹는 것은 왜 얼마나 나타났을까요? 인류가 영양을 공급하기 위해 다른 인간을 잡아서 먹는 경우도 있습니다만 아주 드물어요. 식인 습관은 거의 초자연적인 가치관과 관련하여 나타나요. 식인은 대개 우리와 상당히 다른 초자연적 가치관을 지닌 원시집단에서 많이 나타나고 문명사회에서는 일반적인 관습이 아니어서 아주 드물게 특별한 상황에서만 나타나는 것으로 생각돼요.

그렇다면 원시집단은 왜 식인을 했을까요? 대개 종교적인 의미나 초자연적인 의미의 맥락에서 나타나요. 예를 들어 뉴기니 포레족은 장례식 마지막에 시체를 나눠 먹는데 이렇게 해야 죽은 사람이 산 사람의 일부가 된다고 생각했습니다.

이러한 이유로 아마존의 야노마모족은 시체를 태워 재를 나눠 먹었어요. 보루네오 일부 부족에서는 용감한 적을 잡아먹었는데 그러면 용감한 적의 용감성이 나에게 넘어온다고 생각하였죠. 또 일부 북미 인디언들은 집단 구성원이 공동체로서 함께 적을 공유해서 먹어야 한다고 생각하여 적의 신체를 나눠서 요리해 먹기도 했어요. 또는 아즈텍처럼 적을 제물로 바치고 이를 먹으면서 신과 접속하기도 하고요. 우리나라 음복과 같은 의미를 지닌 습관이라고 볼 수 있어요. 이렇게 거의 종교적인 의미가 커요. 잔인하다고요? 그들은 그렇게 생각하지 않고 했을 거예요. 일단 타 집단을 나와 같은 동일집단이라고 생각하지 않아요. 즉, 타 집단을 나와 같은 인간이라고 생각을 안 하죠. 다른 집단들을 인간 이하라고 생각하죠. 왜냐하면, 그 집단은 다른 말을 사용하기 때문에 소통이 안 되는 나보다 열등한 동물이라고 생각해요. 대체로 신화에서도 다른 집단은 우리와 같은 신의 후손이 아니지요. 따라서 다른 동물들보다는 나와 너무 닮았고 위험하지만 나와 같은 의미를 지닌 존재는 아니라고 생각합니다.

점차 세계가 빈번하게 교류하고 문명이 발전하면서, 인간이 다른 집단을 바라볼 때 점차 같은 인간이라고 인식합니다. 그렇게 생각하면 잡아먹기 어렵죠. 왜냐하면, 같은 집단을 잡아먹는다는 것은 나를 잡아먹는다는 의미가 내재 되어 있기 때문이죠. 그래서 보편적인 같은 인간이라는 인식이 생기면 생길수록 또는 같은 신의 후손이거나 창조물이라는 생각이 퍼지면 퍼질수록 식인이 불편한 거죠. 식인은 신에게 벌 받을 일이 되거나 공동체를 파괴하는 행위가 되어, 숨어서 해야 하는 일이 되는 거예요. 그래서 식인의 관습이나 변화는 문화와 밀접하게 연관되어 있죠.

Q. 동성애도 문화인가

원시사회에서도 동성애가 자주 나타나고 고대사회에서도 자주 나타났어요. 고대 중동이나 그리스에서는 동성애가 많았어요. 군대나 귀족들에게 유행이었지요. 한국에서도 유교가 본격적으로 주도하기 전인 신라나 고려에서 동성애가 보고되고 있어요. 고려 공민왕은 동성애를 한 것으로 생각되기도 하죠. 고대에는 중국이나 인도에서도 동성애가 많이 나타나는데 이를 크게 적대시하지 않았고 오히려 고대 그리스처럼 동성애는 서로에게 즐거움을 줄 수도 있고, 사유를 촉진할 수도 있기 때문에 좋은 것으로 생각하는 경우도 있었어요.

유교, 기독교, 이슬람교도 초기에는 동성애에 특별한 교리가 없었는데 점진적으로 동성애를 천륜을 파괴하는 것으로 생각하게 된 것으로 보이고, 불교는 상대적으로 이러한 교리를 덜 발전시킨 것으로 보여요. 불교나 다신교 사회에서는 동성애가 그렇게 차별받거나 천륜을 파괴한다는 식의 생각을 하지 않은 것으로 보입니다.

남녀는 별도의 존재로 구분해서 만들어졌고, 남녀가 결합하여 인간이 존재한다는 사고가 거대종교를 매개로 강화되면서 동성애에 대한 부정적 시각이 늘어난 것으로 보여요. 동성애가 남녀구분과 남녀결합이라는 신의 원리를 깼다는 주장이 늘어나면서 고대 이후에 부정적인 박해가 계속 증가한 것으로 보여요. 신의 원리나 우주의 원리로 생각했는데 이를 깨는 사람이 있으면 불안하잖아요. 동성애가 내가 가지고 있는 관념 질서를 무너뜨리는 거잖아요.

동성애가 타인에 해를 끼친다거나 사회에 해를 끼친다고 볼 수는 없어요. 자기가 좋아서 자기들끼리 하는 것이죠. 하지만 중세 이후 많은 사회가 동성애를 박해했느냐면 그 사회의 관념적 질서를 유지하기 위해서인 것으로 보여요. 자신들이 믿는 절대적인 관념질서를 지키기 위해서죠. 그래서 동성애에 반대하는 사람들은 대게 종교적으로 제시된 인륜이나 천륜을 강조하는 사람이 많아요.

각자의 능력과 각자의 삶이 있다고 생각하면, 동성애도 그런 것 중의 하나 아닐까요? 왜 동성애를 반대해야 하는지 모르겠어요. 현대처럼 개인화된 사회에서 타인에 손해를 끼치지 않으면 개인이 알아서 판단하고 알아서 행동해야 하는 것 아닌가요? 동성애나 이에 대한 사고방식도 인류의 여러 과정의 문화가 반영된 것인데 그것으로 타인을 박해하는 것은 지나친 일로 생각됩니다.

Q. 학연, 지연 등 잘못된 문화를 고치는 방법

나는 학연이나 지연을 당연한 것으로 생각해요. 보편적으로 다른 나라에도 많이 있으니까요. 서로 가까운 사람들끼리 만나서 소통하고 노는 게 무엇이 문제겠어요? 서로 만나고 공유할 수 있는 기제가 있으면 이를 통하여 서로 소통도 하고 더 가깝게 지내고 같이 놀기도 하고 그러는 것은 항시 나타나는 것이겠죠.

문제는 자기들만의 이러한 소통이나 만남이나 교류로 그쳐야 하는데, 이를 사회에서 자신들만의 이익을 지키거나 확대하는 기제로 사용하게 되면 여기에서 소외된 사람들은 불공정하게 피해를 보는 것이기 때문에 사회적 통합과 순환을 떨어뜨리고 분열을 촉진하게 되는 경우겠죠. 학연과 지연이 한국사회에서 정치, 학계, 경제 등의 분야에서 자신들만의 이익을 확대하는 데 사용되어 사회 분열을 엄청나게 촉진해왔죠. 박정희 대통령이 이러한 지연을 선거에 적극적으로 활용하였고, 이후 경상도 출신이 한국 사회의 기업, 관계, 학계를 주도 하게 되었는데, 피해의식을 느낀 다른 지역 출신들이 이에 강력하게 저항하면서 한국사회에 엄청난 갈등과 비효율을 가져온 것이 대표적인 사례이지요. 한국 검찰에서도 서울대 법대 연줄이 장악하고 있지요. 미국에서도 백인 아이비리그 중심으로 사회가 돌아가고 있죠. 이러한 연줄의 영향력은 수백 년을 가기도 합니다.

이러한 학연과 지연이라는 것이 자기들끼리 즐거움으로 사적 공간에서 그쳐야 하는데, 이것이 공적 부분으로 넘어가서 공적 부분까지 지배하면서 문제가 발생하기 때문에 공적 영역에서 사적 연줄이 작동하지 못하도록 하는 시스템을 만들어야 해요. 사람을 뽑고 일을 하는 과정에서 훨씬 공평하고 공정한 관계를 매개로 일이 이루어지도록 해야 해요. 공평한 사회시스템이 잘 갖추어져 있어야 하고, 시민의식이 발달해야 하고, 언론도 이에 대해 철저한 감시를 해야 하죠. 그런데 그게 무척 어렵죠. 연줄이 작동하는 과정은 숨겨져 있으니 이를 감시하기가 어렵죠. 그러다 보니 한국에서 연줄에서 소외된 사람, 집단, 지역의 불만이 아주 높고, 사회적 신뢰성이 크게 약화하여 있고, 사회적 갈등이 지속하고 있는 거죠.

동양의
문화

Q. 동양 문화의 장점

서구에서 1800년 전후로 산업혁명이 진행되면서 서양의 세계관
에 여러 가지 변화가 나타납니다. 세상이 계속 발전한다고 생각하
게 되었고, 세상을 쪼개서 하나하나를 대상으로 연구하고, 검증을
통해서 새로운 지식을 얻을 수 있다는 생각이 일반화되었어요. 나
아가, 이런 과정을 통해 인간이 대상들을 이해하고 정복할 수 있
고, 인간이 만물의 기준이라는 사고방식을 가지게 되었어요.

동양은 이것보다는 종합적으로 생각했어요. 개인이나 자연도
전체와 연관되어 있다고 생각하여 전체의 맥락에서 이해하려고 했

지요. 한의학 같은 경우에도 인간과 자연과의 관계를 종합적으로 파악하고, 몸과 마음도 밀접하게 연관되어 있다고 생각하여, 그러한 관계 속에서의 변화를 이해하고자 하였어요. 개인을 개인으로 나누는 것이 아니고, 혈연이나 국가나 집단의 공동체 일원으로 상정했어요. 동양의 개인은 훨씬 공동체에 신경을 쓰고, 더 이바지하고 공동체의 말을 듣지요. 문화나 법률체계나 가치관에도 전반적으로 공동체적 가치가 반영 되요. 동양은 부분과 전체를 좀 더 종합적으로 보려고 하는 경향이 아직 서구보다 강해요.

또 하나는 이러한 것들을 매개로 해서 자연과의 융합, 공동체와 융합을 통해서, 자신의 내적 성찰을 개인주의적으로가 아니라 종합적으로, 또는 집단으로 성찰하는 그리고 그것을 통해서 사물을 관조하는, 물질적인 것에 얽매이는 것이 조금 적고, 관찰하고, 관조하는 것이 좀 더 강한 사고방식을 가진 것으로 생각하고 있어요. 그래서 동양이 가지고 있는 자연과의 종합적인 융합, 인간끼리의 상호관계, 이것을 통해서 사물을 관조하고, 자연과 타인과 연결해서 성찰하는 측면들. 이런 부분들은 우리가 개인주의로 해결할 수 없는 수많은 문제, 미래사회의 문제를 해결하고 방향을 정하는데 커다란 도움을 줄 것으로 생각해요.

그렇지만 동양에서도 1800년대 이래로 서양의 지식과 문화를 흡수하는 데 많은 노력을 기울여왔고, 또한 사회적 변화에 따라 개인주의적, 도구주의적, 과학주의적 사고방식이 크게 확산되었어요. 따라서 동양에서 좀 더 강한 종합적이고 집단적인 사고나 관계가 아직 많이 남아 있습니다만 서구에서 확산하기 시작했고 동아시아의 산업화에 따라 강화되고 있는 개별 단위에 집중하는 사고방식이나 개인 중심적 사고방식이 혼합되어 동서양의 혼성적 문화가 현재의 동양문화의 모습이라고 생각합니다.

동양문화가 이러한 복합화되고 혼성되어 있으므로 기존의 동양문화가 어떤 장단점이 있는지 그리고 서구적 요소가 혼합된 현재의 동양문화가 어떤 장단점을 가졌는지 같이 비교해서 설명해야 동양문화의 장단점도 훨씬 잘 제시할 수 있으리라 생각해요. 전통적 동양문화만 고려한다면 동아시아의 집단적, 공동체적, 종합적 문화요소들이 현대 동서양에서 나타나고 있는 공동체의 약화, 개인의 소외, 물질주의화, 공동가치의 쇠락 등을 점검하는 데 많은 화두를 던져줄 수 있을 것으로 생각해요. 현대의 문제점을 극복하고 미래사회로 나아가는 데 필요한 많은 사상적, 문화적 요소들을 동아시아 전통문화가 많이 포함하고 있다고 생각해요. 따라서 학자들도 더 과감하게 현대의 문제를 해결하는 화두를 동아시아의 전통에서 찾아 제시할 필요가 있다고 생각합니다.

Q. 동양 문화의 콘텐츠화

동양 문화 특색이 서구보다 자연과 인간, 부분과 전체의 종합적인 부분에 관심을 두고 있고, 또 사람들의 관계와 공동체적인 것에 신경을 쓰고 있고, 이런 것들을 매개로 해서 성찰이나 내적 관찰이 좀 더 풍부하게 이루어지고 있다고 이야기했는데요, 동양의 문화콘텐츠도 이런 부분에 강점을 가지고 있지 않을까 생각합니다.

할리우드 영화 '아바타'의 경우 동양적인 콘텐츠를 서양이 채택해서 상업화하는 데 성공했다고 봐요. 이러한 가치들을 문화콘텐츠로 만들어서 서양적인 감수성, 또는 새롭게 주목받고 있는 재미의 감성으로 만들어 낼 수 있다면, 세계적인 호소력을 가질 것으로 생각해요. 그래서 아바타와 같이 공동체적인, 자연과의 친화적인 또는 종합적인 감성과 성찰을 할 수 있는 콘텐츠들을 동양적인 색채로 바꾸어서 동양적인 리듬, 가사, 이미지로 만들어낼 수 있는 여지가 아주 많다고 봐요. 또, 동양에는 수많은 자원 (신화, 자원, 사상가들)이 있기 때문에, 이런 걸 융합해서 발전할 수 있지 않을까요? 이런 것들은 콘텐츠 산업으로써 어떻게 발전할 수 있을까 고민하고, 이런 것은 콘텐츠 사업가들과 기업가들과 사회체계와 연관돼서 작동할 것으로 생각하고 있어요.

서구에서 서구의 현대에 대해 피로를 느끼는 사람들이 많아요. 개인주의, 성장주의, 과학주의가 서구인에게 새로운 호소력을 지니지 못하고 있어요. 서구도 산업사회를 넘어서는 새로운 모색을 다양한 방식으로 하고 있어요. 동양적인 감수성을 가진 문화 콘텐츠가 새로운 차원의 감성과 감수성을 세계에 전달하고 있지요. 예를 들면 인도의 영화 가운데 상당히 동양적인 감수성을 가진 일부 영화들이 세계적으로 성공하고 있고, 우리나라의 드라마 '대장금'도 아프리카나 중동, 동남아 등지에서 큰 인기를 얻었어요.

동양적 콘텐츠에 대한 세계적인 공감대의 기반은 충분히 마련되어 있다고 생각해요. 동양적 감수성을 어떻게 세계인들 다수가 받아들일 수 있게 만드는 문법은 무엇일까? 어떠한 방식으로 포장하고 표현하여야 훨씬 쉽게 세계인이 공감할까? 이러한 방법론은 심각하게 고민하고 시도하고 실패하면서 헤쳐나가야겠죠. 또한 서구에서 그동안 축적해온 콘텐츠 감성, 코드, 방법, 기술을 적극적으로 배우고 모방하고 실패하고 개선해나가면 생각보다 빠르게 동아시아의 콘텐츠도 생각보다 빠르게 세계적인 콘텐츠가 될 수 있으리라 생각해요.

Q. 지금 동양문화의 역할은?

저는 산업혁명 이래로 서구가 세계를 이끌어 왔다고 생각해요. 산업혁명을 거치면서 서구의 기술 수준이 세계를 압도했고 따라서 서구나 세계의 변화를 주도적으로 만들어왔고요. 서구가 세계의 물질적인 풍요를 주도적으로 높여 왔고, 물론 그렇지 못한 국가들도 있지만, 전반적으로 세계인의 삶의 질을 높이는데 커다란 도움을 줬다고 생각해요. 그런데 이제 그 한계에 도달한 것이 아닌가 싶어요. 왜냐하면, 제조업이 산업혁명을 매개로 해서 서구로부터 세계로 퍼져왔는데, 산업생산능력이 크게 발전하다 보니까, 첫째 제조업의 대부분 영역에서 항시 과잉생산 위험에 시달리고 있고, 둘째 인구가 과잉상태가 되었고 노령화도 급속하게 진전되고 있고, 셋째 대규모 인구의 대량소비로 자연파괴와 환경파괴까지 심각해져 온난화와 같은 지구단위의 위험도 심각하게 나타나고 있어요. 그래서 서구가 만들어온 물질적인 발전을 매개로 이제 지구가 위기에 봉착한 것은 아닌가 하는 생각을 했어요. 그러면 앞으로 이런 것을 돌파하려면 어떠한 시스템들이 필요할까요?

먼저 물질주의적인 개인의 욕망에 의존해서 무한대로 소비하려고 하고 이를 위해 무한대로 생산을 늘리려 하는 시스템을 제어해야 한다고 봐요. 이를 제어하는 것이 기존의 서구 가치관으로 가능할까 생각해보면, 상당히 어렵지 않을까 생각합니다. 특히 미국의 소비주의적 가치관으로는 불가능하다고 생각해요. 동양의 가치관, 그러니까 아까 말씀드린 것처럼 자연과 인간, 부분과 전체의 종합적인 접근, 그리고 인간에 대한 공동체적인 접근이 받아들여져야 물질의 생산과 소비를 최우선으로 하는 생활을 바꿀 수 있어요.

물질의 생산과 소비를 최우선으로 하는 생활과 사고를 바꾸기 위해서는 동양의 가치관이 더욱더 필요하게 될 거예요. 현대 상황을 극복하기 위한 사고와 제도를 발전시키기 위해서는, 서양에서 주도해 온 사고와 제도에의 외부 수혈이 필요하다고 생각해요. 완전한 대체보다는 동양의 다양한 요소들을 수혈하여 기존의 사고와 제도를 극복하고 개선해나가는 방식으로 이루어질 것으로 예상해요. 따라서 동양의 여러 사상이 미래의 지침으로 제시될 수 있지만, 현실의 제도화를 위해서는 동서양의 다양한 요소들이 결합하여 새로운 사상과 제도로 발전해야 하지 않을까, 라고 생각해요.

이러한 결합은 한계에 도달한 기존 서구의 사고와 제도를 넘어서기 위한 적극적인 모색으로 나타나야 해요. 즉, 기존의 서구의 것을 넘어서는 사고와 제도에 대한 적극적인 탐색이 서구 밖에서 더욱 적극적으로 이루어져야 해요. 서구의 것에 묻혀 모색해봐야 새로운 방향으로 나아가기가 매우 힘들 거예요.

현대를 넘어서는 사고와 제도 그리고 새로운 차원의 지구질서를 상상하기에는 서구보다 동아시아가 더 유리하지 않을까 생각합니다. 산업혁명을 매개로 서구가 200년간 세계를 이끌어왔지만, 미국은 쇠퇴하고 있고 동아시아는 부상하고 있어요. 새로운 단계의 지구를 위한 가치관과 제도와 기술을 동아시아가 공급할 수 있을까요? 아직 미약해서 잘 보이지 않지만, 앞으로 그러한 방향으로 갈 것이라는 것이 내 생각이에요. 앞으로 50년에서 100년 지나고 보면 동아시아의 역할이 지구에서 그게 확대되어 있을 거예요. 물론 19, 20세기의 서구처럼 압도적이지는 않지만 그래도 동아시아가 세계를 이끄는 역할을 할 것으로 생각하고 있어요. 그런 예측은 프랑크의 「리오리엔트」 등 많은 책에서도 나타나고 있어요.

그렇다면 동아시아가 지구의 현재뿐만 아니라 미래에도 어떠한 영향을 미칠까를 고민해야 한다고 생각해요. 아니 현재보다 미래에 동아시아가 어떻게 지구에 긍정적인 역할을 할 수 있을까를 고민해야 한다고 생각합니다. 서구를 넘어서서 상당 부분 동양적인 사고와 제도들이, 물론 과거의 것이 아니라 새롭게 융합하여 드러나는, 세계를 주도하는 모습이 될 거예요. 그렇다면 서구의 것을 넘어서는 상상력이 필요하지요. 동양의 사고, 제도, 상상력이 서구를 넘어서는 새로운 지구를 만드는 상상력의 요소가 될 것이에요. 동양의 문화를 이해하여야 할 뿐만 아니라 이를 어떻게 현대적으로 더 나은 미래에 맞게 재창조할 것인가를 고민해야 할 때라고 생각해요. 그래야 동양의 문화가 인류보편성을 지니면서 서구를 넘어서는 새로운 지구를 이끄는 모습으로 나타날 수 있다고 생각해요.

서구를 넘어서야 한다는 것은 서구를 포기한다는 것이 아니라, 서구의 200년 체제의 기여와 한계를 인식하고, 서구의 많은 부분을 배우고 흡수하고 동양의 많은 부분을 미래에 적합한 상상을 통해 융합하고 재창조하여 새로운 세계를 열어간다는 뜻이에요. 그래서 서양과 동양이 함께 전환점과 방향을 모색하는 것이고, 물질주의에 사로잡힌 산업혁명의 체제를 넘어서는 방향을 모색하는 것으로 생각하고 있어요. 서구적이지 않은 것들에 대한 적극적인 탐색과 포용으로 현 자본제적 산업시대를 넘어서는 새로운 단계의 시대를 지구적인 차원에서 모색해야 한다는 뜻이에요. 왜냐하면, 100년 후에는 지금 우리가 알고 있는 체제와는 크게 다른 체제의 지구에서 인류가 살고 있을 것으로 생각하기 때문이죠.

Q. 전통문화를 왜 소중하게 생각해야 하는가?

삶의 의미를 찾는 데 아주 중요한 역할을 하기 때문이에요. 인간은 미래를 상상하고 미래를 도모하긴 하지만, 뿌리를 찾고 간직해야 현명하게 세상에 대처할 수 있고 또한 불안도 줄어들어요. 뿌리로부터 전통으로부터 개선해나가야 시행착오도 줄어들어요. 전통문화는 우리의 뿌리이자 사고의 바탕으로서, 우리의 의미와 가치의 토대 역할을 해왔어요. 그래서 전통문화를 포기하는 사람들보다, 간직하면서 새로운 것을 받아들이는 사람들이, 더 잘 적응하고 더 흔들림이 없지요. 전통문화를 소중하게 받아들이고, 한국 사람으로서 그 가치를 알 때, 전통이 삶의 토대로서의 의미가 있기 때문에, 앞으로 우리가 어떤 방향으로 나아가야 할지 어떻게 바뀌어야 할지 그리고 무엇을 해야 할지를 더 현명하게 판단할 수 있을 것으로 생각합니다. 상징적으로 말하자면 전통은 나침판과 같은 역할을 하는 거죠.

전통은 삶의 가치와 의미뿐만 아니라 우리 삶을 풍요롭게 느끼게 하는데, 그리고 '다른 사람에게는 없는 우리만의 독특성을 가지고 있다. 그래서 우리는 다른 사람과 다르다.' 라는 생각을 가능하게 하여, 우리 삶의 독특성과 가치에 상당한 영향을 미치게 돼요. 따라서 전통은 발굴하고 개선하고 공유하고 이를 우리의 문화적 삶의 중요한 부분으로 유지하는 것으로 좋아요. 그래서 전통문화는 비단 우리뿐만 아니라 모든 민족과 모든 국가에 중요하다고 생각해요. 그런데 전통문화를 매개로 해서 타인을 배척하는 것이 아니라, 서로 공존하고 존중하며 다양함과 풍요로움을 공유하고 즐기는 계기로서 우리의 전통문화가 다른 집단들에게도 의미가 있어야 하겠죠. 서로 전통을 매개로 자기의 의미를 찾고 나눔으로서, 인류가 더욱 풍요롭고 발전할 수 있다고 생각해요.

Q. 살아남는 문화, 사라지는 문화

문화는 스스로 생겼다가 없어지는 것이 아니라, 사람이 계속 활용하고 재생산하면 유지되고, 그렇지 않으면 사라지게 돼요. 우리 문화도 우리가 재활용하면 유지되지만 그렇지 않으면 사라지죠. 농촌에서의 많은 당집, 동제, 도깨비들은 사라졌죠. 우리가 포기했기 때문이에요. 인디언들이 그들의 문화를 재생산하기 어려웠던 이유는, 서구인들이 미주대륙을 점령하면서 인디언들을 대거로 학살했기 때문이에요. 인디언들의 대략 95%가 질병이나 학살로 사라졌어요. 더구나 식민개척자가 가한 문화충격으로 혼란을 면치 못하며 전통 일부만 사용하고 나머지는 포기했지요. 중국도 19세기 후반 서구열강 침략의 충격파로 전통에 대한 회의와 공산주의 체제로 중국을 재구성하면서 많은 전통을 포기했지요. 20세기 말부터 조금씩 부활시켜 전통을 재생산해내고 있지요.

이제 별 의미가 없다고 생각하거나 더 나은 것으로 생각하는 것을 받아들이면서 계속 교체되요. 왜 포기하고 교체하는지 또는 기존의 것을 조금 다른 것으로 개선하여 상황에 맞게 발전시켜 나가는지는 시대적 상황 속에서 생각하고 실천하는 사람들에 달린 것이죠. 그렇다면 사람이 왜 문화를 포기할까요? 무언가 쓸모가 없거나 이점이 없다고 생각하기 때문이에요. 그렇다면 어떤 것은 왜 살아남을까요? 무언가 필요하다고 생각하기 때문이에요. 하지만 쓸모가 없다거나 의미가 있거나 필요하다고 생각하는 정도는 개인마다 달라서 일률적으로 사라지고 일률적으로 생겨나는 것은 아니겠지요. 조금씩 사용하다가 확산하거나 조금씩 줄어들다가 없어지거나 하겠지요.

그럼 계속 살아남을, 또는 앞으로 부상할 문화는 무엇일까요? 시대적 상황을 잘 알려주고 해결해주고 시대적 상황에 맞게 살아갈 수 있게 해주는 것들이에요. 시대적 상황이 기술, 경제, 정치 상황에 따라 계속 변하기 때문에 문화도 계속 변할 수밖에 없어요. 이 집단의 문화도 저 집단의 문화도 계속 변하고 또한 여기저기서 새로운 요소를 만들고 추가하고 받아들이고 하면서 조금씩 새로운 형태의 문화로 변하게 돼요.

결국 문화는 우리가 살아가면서 어떻게 활용하고 포기하는지, 다른 문화요소나 새로운 문화요소를 어떻게 받아들이고 만들고 수용하는지에 따라서 유지되거나, 변화하거나, 융합하는 모습이 나타날 거예요. 정리하자면, 사람을 중심으로 생각하면 문화가 어떻게 사라지고 변화를 하는지를 훨씬 쉽게 이해를 할 수 있어요. 그리고 시대 상황을 조금 앞서 나가는 문화요소들이 앞으로 더 부상하고 시대 상황에 뒤떨어지는 문화요소들이 점차 축소되고 사라진다고 생각할 수 있지요.

Q. 전통문화의 상업화는 바람직한가?

현대 사회의 가장 중요한 특징의 하나가 문화의 상업화에요. 제조업 경제가 한계에 도달하면서 문화, 정보, 지식, 오락산업 등 정신적 지식적 측면을 지닌 산업분야가 빠르게 성장하고 있어요. 전통문화도 산업과 관련된 중요한 문화자원이 되었어요. 가치와 의미를 넘어서 경제적 가치에 사람들이 주목하고 있지요. 콘텐츠, 문화관광, 인문교양의 산업화로 전통문화는 문화산업의 핵심적인 요소가 되고 있어요. 잘만 사용하면 다양한 수입원으로 개발할 수 있기 때문에 산업의 자원으로서도 주목받고 있는 거예요. 제조업 시대에는 전통을 많이 무시했어요. 경제적 가치를 만들어내지 못하고 인위적으로 보존하고 교육하고 기억하는 소비재라고 생각하였기 때문이죠. 그러나 지금은 시대가 바뀌어서, 갈수록 가치가 높아지는 문화자원의 중요한 부분으로 간주하죠.

그동안 서구화, 현대적인 것만 추구하다 보니 정체성이나 가치, 자부심 이런 것들의 중요성이 많이 떨어졌던 것이 사실이에요. 그러나 앞에서 말한 것처럼 전통을 살리는 것은 우리의 정체성, 자부심을 키우고, 그에 대한 나의 긍정적인 가치를 느끼게 해주죠. 그리고 이런 전통이 가진 의미는, '대장금', '서편제' 등의 영상산업을 통해 더욱 매력적으로 대중들에게 전달될 때도 있죠. 첨단산업이나 문화, 정보, 지식, 오락에서는 아직 서구를 따라가지 못하고 있지만, 우리나라의 제조업은 이제 서구와 비슷한 수준이에요. 한국사람도 이제 정신적인 여유가 옛날보다 늘어난 거예요. 경제도 첨단, 문화, 정보, 지식, 오락으로 바뀌고 있고요. 우리 스스로 뒤돌아보고 우리의 가치를 소중하게 느끼려는 시간이 옛날보다 많아졌어요. 또 하나는 세계에서 동아시아의 지위가 높아지다 보니까, 서구인들 또한 동아시아의 전통에도 많은 호기심을 가지고 있어요.

그래서 단순히 서구문화만 추종하는 것을 넘어서 우리의 동아시아의 전통을 적절히 사용하는 것이 서구인의 호기심을 떠 많이 끌어낼 수 있고 또한 그렇게 해야 우리를 존중해주죠. 그러한 맥락에서 전통문화의 적극적인 상업화와 세계적인 확산이 한국에도 훨씬 이익일 것으로 생각해요. 한국의 특색, 동아시아의 특색을 보여줄 수 있어야, 독자적인 가치와 의미가 깊어져요. 또한 동아시아 사이에서도 이러한 노력을 선도적으로 해야 한국문화가 더 널리 중국, 일본, 동남아 등에도 영향을 미칠 수 있어요. 중국과 비슷하면 중국의 아류로 간주되죠. 중국문화와의 차별화도 일정하게 필요하겠지만, 동아시아적 요소들을 중국이나 일본보다 선도적으로 세계에 통하는 상품으로 만들 필요가 있어요. 한류 음악이 세계적인 요소를 한국 것과 잘 섞어 세계적인 상품으로 만들었듯이 전통문화 부분에서도 그럴 필요가 있어요.

그렇게 하면 한국전통문화가 죽는다고요? 그렇지는 않으리라고 생각합니다. 오히려 새로운 모습으로 다양하게 생성되면서 더욱 풍부한 한국문화, 한국전통의 확대재생산이며 동시에 변화라고 생각해요. 상업화를 더욱 적극적으로 시도하여 세계적인 상품으로 만들어가는 것은 바람직한 것으로 생각해요. 보존이 필요한 것은 문화재제도나 무형문화재를 이용하여 보존할 수 있어요.

청춘에게
전하다

Q. 진정한 문화교류를 위해서는

　진정한 문화 교류를 하기 위해서는, 먼저 열린 포용의 자세가 필요하고요, 노력하고 배우려 하는 학습의 자세가 필요하다고 생각해요. 그러면 다른 개별 문화보다 훨씬 높은 차원에서 다양한 문화를 융합하고 연결하고 공존하게 만들 수 있는 능력을 배양할 수 있다고 봐요. 이렇게 다양한 문화를 배우고 포용하고 이를 잘 융합해가는 것이 세계화 시대에 가장 중요한 방향이라고 생각해요. 그러기 위해서는 청년들이 전 세계와 타 문화에 대한 이해 능력, 감수성, 포용력을 먼저 길러야 해요. 이를 바탕으로 다른 문화권에 대한 공존과 존중감을 느끼고 이들을 우리의 것과 잘 융합시켜 더욱 발전된 문화를 만들어내야 하지요. 배타적인 자기중심주의는 발전을 가져오기 어려워요.

문화교류를 매개로 해서 각 문화가 서로 존중하고 함께 발전하는 길을 찾아야 해요. 그래야 우리나라가 세계적인 안목을 가진 세계적인 나라로 발전하는 데 있어서, 한국의 젊은이들이 중요한 역할을 할 수 있다고 생각해요. 각 나라가 지구촌의 일원이면서 각자 특색을 가지고 스스로에 자부심을 느끼는, 그것이 바람직한 세계 문화의 미래상이 아니겠습니까? 그러기 위한 출발점은 자신의 문화를 깊숙이 이해하고 타문화를 열심히 배우려는 자세입니다.

Q. 새로운 트렌드(문화)를 만들기 위해선 어떠한 노력이 필요하나요?

새로운 문화를 만들기 위해서 가장 중요한 것은 첫째 열려 있어야 해요. 새로운 것에 대한 호기심과 포용성을 갖고 타문화를 존중하고 배우는 마음가짐을 가져야 하지요. 타문화를 배척하는 마음을 가지고 있으면 안 되겠죠.

둘째, 잔뜩 호기심을 가지고 봐야 해요. 그냥 배우는 것이 아니라 무언가 더 나은 것, 새로운 것을 추구해야 하죠. 타문화의 요소를 적절히 혼합하여 이전과 조금 다른 문화를 만들 수 있어요. 또한 전통적인 요소를 꺼내서 혼합할 수 있고, 다양한 아이디어를 통해서 이제까지 없던 것을 새로운 미래를 상상할 수도 있겠죠. 그러한 예로 전주 한옥마을은 들 수 있어요. 전통을 불러내서 현대에 맞게 재창조하고 서구의 것도 적당히 섞어 있어 쉽게 즐길 수 있는 공간이 된 거예요. 이렇게 해서 외국인들까지 재미있고, 쉽게 이해할 수 있게 되었죠. 물론 타문화를 배우고 새롭게 뒤섞어 이를 확산시키면 전통이나 우리 문화를 왜곡하는 것이 아니냐는 질문이 제기되고 있어요. 현시대에 상업화의 공간에서 일상생활의 공간에서 전통의 보존을 요구하는 것은 지나친 요구라고 생각해요.

셋째, 보다 도전적으로 새로운 실험을 자주 해야 해요. 실패해야 성공합니다. 100번 도전해서 한두 번 성공하면 잘하는 거예요. 새로운 트렌드를 만드는 것을 쉽다고 생각하면 안 됩니다. 포용성과 창조성을 통해 계속 도전한다면 크든 작든 새로운 영역들이 개척될 거예요. 그러나 보다 가치 있는 방향을 위해서는 새로운 시도가 지니는 시대적 의미를 잘 파악하고 있어야 해요. 더 넓은 맥락에서 인류의 공존을 위해서 인류의 미래를 위해서 얼마나 중요한 의미를 지니는지도 생각하면서 도전해야 합해요. 단말마적인 재미를 주고 끝나는 것인지, 사람들의 사고를 굴레에서 벗어나게 해주는 것인지, 미래의 희망을 드러내 주는 것인지 등을 생각하면서 도전하면 훨씬 의미 있는 그리고 끈기를 가지고 도전할 수 있을 것입니다.

Q. 문화인류학 등을 공부해야 하는 이유는 무엇일까요?

나도 학부 시절에 문화인류학이 무엇인지 모르고 학과배정을 신청해서 지금까지 이를 전공하고 있어요. 인간의 문화와 관련된 어떤 문제나 다룰 수 있고 다루는 학문이에요. 이제 사회적 주된 관심이 생산 효율성에서 정신으로 옮겨가고 있어요. AI나 IT도 인공적인 정신작용과 이를 연결하는 네트워크죠. 앞으로는 정신작용, 역사, 문화를 잘 모르면 지도자가 되기가 더욱 힘든 사회가 되고 있어요.

제조업 시대에는 공장에서 일 잘하고, 조직 내에서 효율적으로 목표만 달성하면 됐었거든요. 그래서 생산과 효율성이 우리의 모든 사고를 선도했죠. 그런데 지금은 그런 정보, 지식, 문화가 선도하는 정보지식문화산업의 시대가 되었어요. 혹자는 4차산업 혁명이라고 하지만 나는 물질제조에서 정신과정으로 더욱 근본적인 변혁이 일어나는 과정으로 보고 있기 때문에 산업혁명에 맞먹는 두뇌혁명이 일어나고 있다고 생각해요.

이제 사람의 정신작용을 제대로 이해하지 못하면 또는 이러한 기능을 수행하는 기술(AI, IT, 소프트웨어와 콘텐츠)을 알지 못하면 시대에 뒤떨어질 수밖에 없는 순간이 오고 있다고 생각해요. 나에게 문화인류학은 옛날처럼 원시민족이나 농촌을 연구하는 학문이 아니라 사람의 정신세계를 연구하는 학문이에요. 사람들의 마인드 세트나 코드를 연구하는 그래서 해당 집단의 심층적 문화코드를 이해하기 위한 통로로 생각해요.

문화학이라고 하면 더 알기 쉽겠는데 문화인류학이라는 전통이 있어 이 명칭으로 문화를 연구하는 것이죠. 사람들의 문화코드는 이해하기 참 어렵습니다만 이해하면 참 재미있죠. 정보, 지식, 문화, 오락 등 정신적인 것이 경제의 전면에 뜨게 되면 문화를 알게 되면 앞으로의 시대엔 훨씬 다양한 일을 할 수 있겠죠. 엄청나게 늘어날 다양한 정신상품들, 정보네트워크작동방식들, 물질상품의 문화적 포장들을 더 잘 다룰 수 있도록 문화인류학이 발전하기를 희망합니다만 문화인류학이 워낙 응용에 관심이 적은 순수학문에 가까워 어디까지 발전할 수 있을지 모르겠네요. 아니면 문화학과가 늘어나서 문화영역을 장악할 수도 있겠죠.

하여튼 현 단계에서 문화인류학은 세계의 다양한 문화를 이해하고 이에 접근하는 방법을 배우는 최고의 학문이에요. 개별 문화에 대한 상세하고 구체적인 이해를 하고, 이렇게 스스로 조사하는 방법을 배우고, 문화의 역사적인 흐름과 개별문화와 인류문화가 어떻게 상동 관계를 맺으면서 서로 영향을 미치는지를 이해할 수 있는, 어떻게 보면 너무 넓은 영역을 다루는 학문이에요. 나는 이러한 전반적인 흐름을 빠르게 이해시키고, '문화를 이해하여 사람의 마음을 어떻게 사로잡을까?' '어떻게 관광이나 도시재생에 문화를 이용할까?' 또는 '어떻게 지방에서 문화를 통해 삶의 질을 높일 수 있을까?' 등의 응용적인 측면을 가르치기를 좋아해요.

인문학은 사람의 정신을 다루는 분야에요. 그것이 철학이든, 문학이든, 역사든, 문화이든, 언어이든 사람의 풍부한 정신세계를 알 수 있게 해줘요. 이러한 사고를 위한 능력을 인문학에서 배울 수 있기 때문에, 제조업 이후의 두뇌혁명의 시대에 인문학이 더 중요해지고 있는 거예요. 그중에서도 문화가 현실 세계의 대중에게서 작동하는 정신세계를 이해하게 해주는 영역이라 영향도 크고 더욱 응용성이 높아서 관심도 많이 받고 있고 더 공부해야 할 필요성도 크다고 생각해요.

Q. 20대 청춘들에게 추천하고 싶은 책

'중국이 세계를 지배한다면'이라는 마틴 자크라는 학자가 쓴 책이 있습니다. 미래사회가 현대사회와 다를 것이라는 내용이에요. 점점 중국의 존재감이 커지는 부분에 관한 이야기, 그리고 훗날 중국이 G1이 된다면 어떻게 될 것인지에 상상해서 썼습니다. 미래사회에 대해서 어떻게 될 것인지 뿐만 아니라, 동아시아 일원으로서 중국의 부상을 어떻게 생각해야 하는지, 특히 동아시아의 일원으로서 우리가 어떻게 적응해야 할 것인지, 우리가 좀 더 선도적으로 주도적으로 할 수 있는 것은 무엇인지 자극하는데 상당히 좋은 책이라고 생각하고 있고요. 그래서 이 책을 읽어보고 21세기 나아가 22세기에 세계가 어떻게 변할 것인지 상상해보라고 권하고 싶어요.

또 군더 프랑크라는 학자가 쓴 『리오리엔트』라는 책도 추천하는데요, 리오리엔트는 유럽이 1820년대 이후에야 중국을 넘어섰고, 어떠한 맥락에서 그러한 일이 벌어졌고 앞으로 어떠한 일이 벌어질지를 썼어요. 우리의 과거와 미래, 그리고 다양한 변화들을 지구사적 차원에서 보게 하는 데 도움이 되는 책이고요. 내가 가장 많은 깨우침을 얻은 책이기도 해요. 왜냐하면, 저는 지난 2000년간 서구가 우월한 것이라고 착각했는데, 서구가 우월한 건 지난 200년밖에 안 되었다는 사실을 이 책을 읽으면서 명확하게 알게 되었고 그러면서 세계에 대한 상상력이 크게 바뀌었어요.

끝으로 리처드 플로리다라는 학자가 쓴 『창조적 계급』이라는 책을 추천하고자 해요. 미국에서 금융전문가, 컨설팅, 과학자, 법률가, 의료계, 교육계, 문화산업 등의 지식과 문화에 기반을 둔 다양한 창조적 계급들이 어떻게 생성되고 변하여왔는지 그리고 미국경제를 주도하게 되었는지를 썼습니다. 앞으로 한국사회가 어떻게 변할 것인지를 상상하는 데도 많은 도움을 줘요. 미래 사회가 어떻게 변할 것인지를 이해하는 데도 도움이 되고 여러분이 어떻게 적응해야 하는지를 성찰하는 데도 도움이 될 거예요.

Q. 20대 청춘들에게 하시고 싶은 말씀?

"야망을 품어라!"는 말을 많이 들어봤을 것으로 생각합니다. 젊으면 젊을수록 큰 꿈을 가져야 해요. 그 꿈의 크기만큼 자신의 삶에서 풍부한 경험을 할 수 있어요. 젊을수록 실패를 두려워해서는 안 됩니다. 실패하면 배우는 것이 아주 많아요. 아니 실패해야 배우는 것이 많습니다. 그래야 더욱 많은 것을 배우고 새로운 지식을 영역을 자신의 것으로 할 수 있어요. 꿈을 크게 가지고 실패를 두려워하지 말고 도전하고 도전하라. 이게 청춘에게 꼭 전하고 싶은 말이에요.

두뇌혁명의 시대에 한 직장에서 조금씩 진급하면서 평생을 살아가는 평생직장은 이제 거의 사라질 것으로 생각해요. 모든 것이 상당히 빠른 속도로 그리고 급속하게 변하는 경향이 점차 더욱 커지고 있어요. 두뇌혁명시대(AI, IT, 네트워크, 지식, 문화 등)에 생각이 바뀌면 갑자기 전 사회영역에 영향을 미쳐 바뀌게 될 것이에요. 사회의 변화가 가속화되어 자신이 하던 영역이 하루아침에 사라질 수도 있고 또는 AI에 의해 또는 다른 연계방법에 의해 사람을 필요로 하지 않게 될 수도 있어요. 이제 고정된 지식을 배워서가 아니라 새로운 상황이나 새로운 맥락에서 더 잘 생존하는 방법을 배워야 해요. 새롭게 상황을 파악하고 빠르게 이러한 상황에서 새로운 역할을 전문적으로 수행할 수 있는 태도를 배워야 하지요.

그러한 능력은 꿈이 클수록 더 잘 배웁니다. 더 잘 자기 것으로 만들고 더 좋은 방법으로 실천할 수 있게 돼요. 손정의는 나보다 7달 늦게 태어났는데 고등학생 때부터 내가 상상도 못 했던 꿈을 꿨더군요. 아버지가 '넌 일본 최고야. 반드시 위대한 인물이 될 거야'라고 자주 말해줬더니 손정의 스스로 대학 3학년 21살 때 20대에 사업에 성공하겠다는 인생 50년의 계획을 세워 꿈을 향해 돌진했어요. 단순한 사업의 성공이 아니라 미래적인 사업을 꿈꿨고 그런 꿈을 위해 온갖 정보와 지식을 섭렵하고 난관을 돌파하였지요. 그의 성취를 이야기하려는 것이 아니라 끊임없이 정보와 지식을 섭렵하고 난관을 돌파한 과정을 이야기하려고 하는 거예요. 꿈이 있어야 미래를 보고 헤쳐나가며 새로운 세상을 맛보는 즐거움을 가질 수 있어요. 손정의를 보고 나도 같은 시대에 태어났는데 왜 나는 꿈을 더 크게 꾸지 않았는가라고 후회할 때도 있어요. 나도 꿈을 더 크게 꾸었다면 훨씬 풍부한 세상경험을 했을 거예요.

마지막으로 다시 한 번 여러분에게 꼭 전하고 싶습니다. '큰 꿈을 꿔라. 그리고 도전하라. 여러분에게 새로운 세상이 열릴 것이다.'

PART 01

건
축
학

이 재 훈 교 수 님 (단 국 대 학 교   건 축 학 과)

"

건축은

인간 행동과 습관에 영향을 끼치기도 합니다.

행동이 쌓이다 보면 습관을 길러지고,

결국 인격에도 영향을 미치게 되는 것이죠.

"

건축에
관하여

Q. <u>건축의 최초 기원이 궁금합니다.</u>

영화를 보면 원시인이 동굴에 들어가 눈보라와 추위를 피하는 장면을 볼 수 있습니다. 원시인이 겨울에 겪는 가장 큰 고통은 아마 '찬바람'이었을 겁니다. 동굴 안에 들어가면 추위를 피할 수 있는 것은 누구나 알 수 있었을 것이에요. 동굴에선 추위와 비는 물론 맹수도 피할 수 있었어요. 입구만 막으면 맹수를 막을 수 있었죠. 그래서 건축의 기원은 동굴이라고 할 수 있습니다.

Q. 건축은 기술인가요, 예술인가요?

건축은 기술과 예술이 통합된 분야에요. 만약 건축이 기술이라면 공대에, 예술이라면 예술대학에 포함되어야 하는데 건축대학 건축학과로 분리돼있어요.

건물을 지으려면 기술이 있어야 해요. 중력에 대한 계산, 추위에 대한 계산 등이 기술적으로 풀어져야 하지만, 이 공간에서 사람이 편안함을 느껴야 하고, 즐거워야 합니다. 즐거움을 주는 것은 예술이죠. 벽의 색은 어떻게 하는 것이 편안함을 줄지, 천장은 낮은 것이 좋은가 혹은 높은 것이 좋은가 등은 예술적으로 결정할 수 있는 것입니다. 이렇듯 건축은 기술과 예술 두 가지의 속성을 모두 가지고 있지요.

Q. 건축은 인간에게 어떤 영향을 끼치나요?

1930~40년경, 건축물이 어떠한 용도로 지어지면 사람은 꼭 그 용도에 맞춰 사용해야 한다는 '건축결정주의'가 팽배했어요. 의자에 나사를 박아 바닥에 고정했어요. 의자는 그곳에서 있어야 하고, 사람은 그 자리에만 앉아야 했죠. 건축물이 사람들의 행동을 지배해야 한다는 생각이죠. 하지만 사람은, 건축이 정해준 그대로 행동하지 않죠. 잔디밭에 길을 내어도, 잔디밭을 가로질러 가듯이,

사람은 자신이 원하는 대로 해요. 그래서 이러한 건축결정주의는 사람들에게 불만을 일으킬 뿐이었어요. 인간의 행동이 완벽히 지배되는 경우는 거의 없었어요.

물론 건축이 인간 행동과 습관에 영향을 끼치기도 합니다. 출입구를 멀리 두고, 나머지 공간엔 사람들이 가로질러 가지 못하게 담을 설치한다면, 사람들이 짜증을 내더라고 그 길을 가야 할 수밖에 없습니다. 그런 행동이 쌓이다 보면 출입을 위해 멀리 돌아가야 하는구나 하는 습관을 길러지고, 결국 인격에도 영향을 미치게 되는 것이죠.

Q. 건축물 높이에 대한 인간의 집착은 언제부터 인가요?

높이 하면 떠오르는 건축물이 바벨탑이잖아요? 당시 사람들은 건물을 높이 올려 하늘에 닿아보겠다는 마음이었어요. 바벨탑 신전이 지어진 때는 지구가 둥글다는 인식도 없었기에, 하늘 높은 곳에 대한 호기심도 있었어요.

중세시대에는 높이 솟은 고딕건축물이 있었어요. 고딕시대엔 하늘 높이 올린 건축물이 신앙심의 상징이라고 생각했어요. 이러한 사고방식으로 뾰족한 첨탑을 가진 건축물들이 만들어졌어요.

높은 건축물이 하늘과 인간과의 관계라고 보는 것이 중세시대 사고방식이었다면, 르네상스 시대가 되면서 건축물이 인간과 인간과의 관계 혹은 인간과 자연의 관계라고 봤어요. 높이보다는 넓이에 치중했죠. 넓은 공간이 르네상스 시대에 더 의미 있는 건축으로 간주합니다.

19세기 이후에 철, 유리, 콘크리트와 같은 건축 재료가 발견되고, 과학기술이 발달합니다. 과학기술을 이용해 인간이 건물을 높이 지을 수 있다는 것을 드러내는 상징으로서 건축물을 높이 쌓아올리기 시작했죠.

Q. 대한민국이 아파트 공화국입니다. 우리나라의 아파트 주거 문화를 어떻게 바라보시나요?

우리나라 전체 주택의 60%가 아파트에요. 최근에 매년 지어지는 주택의 90%가 아파트고, 나머지가 주택이에요. 이를 부정적으로 보면, 왜 주택의 형태를 하나로 짓느냐, 아파트는 사람들로 하여금 너무 단조롭고 경직된 사고를 만든다고 해요. 하지만 한쪽에서는 우리나라가 인구가 많은데 땅이 좁다, 이 좁은 땅에서 공사비 적게 들여 지을 수 있는 것이 아파트가 아니냐고 하지요.

아파트는 양옆, 위아래 벽면을 공동으로 사용하고, 설비 파이프 라인도 짧아요. 단독주택은 이 집에서 저 집 사이에 설비 파이프를 10m 이상 깔아야 해요. 아파트는 우리나라에 대량주택을 공급하는데 아주 혁신적인 방법이죠.

그런데 아파트를 지양하는 사람들은 경제성은 좋지만 내가 내집에 들어간다는 느낌이 아니라 현관 키 하나 열고 들어가는 그 공간이 너무 각박하지 않으냐고 말해요.

몇 년 전, 한 학술대회에서 어떤 외국인이 한국인은 자기 것을 자랑하기보단 문제로 만드는 경향이 있다고 했어요. 그가 말하길, 너희 나라는 인구밀도도 높고, 고도의 경제성장도 해야 한다면 아파트가 제일 좋은 주거 타입인데, 아파트를 제일 많이 짓는 것이 당연하지 않느냐고 했어요. 틀린 얘기가 아닌 거 같았어요. 단지 주민들이 교류할 수 있는 공간을 만드는 등 현재의 문제를 보완하는 방법을 찾으면 될 것 같아요. 아파트 자체를 부정할 필요는 없다고 생각합니다.

중국, 중앙아시아를 보면 우리나라 아파트가 인기가 좋습니다. 특히 우리나라의 바닥난방을 좋아합니다. 다른 나라는 겨울에 바닥에 양탄자를 깔아 추위를 견디죠. 그런데 우리나라 아파트는 바닥에 온돌을 깔아 난방하니까 너무 따뜻하고 좋은 거죠. 바닥 난방에 일자형으로 남향에 햇빛을 쫙 받으니, 추운 중국 동북부에서 특히 인기가 좋아요.

Q. 한국에서 평범한 개인이 집을 사는데 20년 정도 걸립니다. 이 긴 시간을 투자할 정도의 가치가 있는 것인가요?

서울 시내에 집을 구하려면 그래야겠죠. 하지만 사실 변두리로 가면 5년 치만 모아도 집을 살 수 있어요. 근데 직장의 위치에 따라 불편함이 있겠지요. 선진국은 중앙집권적으로 한곳으로 몰리는 것이 아니라, 각 지역이나 지방에 독자적인 정체성이 살아 있기 때문에, 시골에 살아도 행복함을 느낄 수 있어요.

미국 사람은 두 가지 타입으로 나눌 수 있어요. 대도시로 진출해서 살고 싶은 사람과 시골에 살고 싶은 사람이죠. 시골은 의료,

문화, 학교, 교통 등 불편한 게 많아요. 선진국들은 조금만 나가도 많이 갖춰져 있어요.

하지만 유흥가는 소도시에 없겠죠? 정말 인간이 유흥가가 꼭 필요하냐면 그건 아니거든요. 유흥을 좋아하지 않는 사람도 많아요. 우리나라 사람들은 유흥가, 시내를 중시하는 경향이 있습니다. 유흥가에서 놀아야만 제대로 논 것으로 보는 사람이 많아요. 실제로 독서를 하면서 논다고 생각할 수 있고, 대화하면서 논다고 생각할 수도 있단 말이죠. 사람마다 논다는 것의 정의가 다릅니다. 획일적으로 생각하니 20대가 되면 무조건 서울로 가서 집을 사려 노력합니다. 하지만 시골에서 편하게 살며 행복함을 느끼면 자기 인생을 집을 사기 위해 희생할 필요가 없어요.

Q. 20대에게 추천하고 싶은 책

저는 20대 때 박사과정을 밟을 때, 건물을 지으려면 설계도에 그리며 그저 선만 그려야 했어요. 저는 '왜 이 선을 이렇게 그어야만 하지?' 라는 질문을 항상 마음에 품고 있었어요. 남들과는 달랐죠. 그들은 그저 선을 그려서 설계도를 그릴 뿐이었습니다. 하지만 나는 '이 방을 왜 이렇게 설계를 해야만 하지?' 라는 생각을 하고 있었어요.

그런 질문을 가지려면 철학책들이 20대에게 도움이 된다고 생각해요. 철학책은 굉장히 어렵습니다. 어릴 적 읽은 것을 지금 와서 생각해보면 내용은 생각이 나질 않고, 키워드만 남았어요. 젊었을 때 철학적인 부분을 더 이해할 수 있다면, 일상 속에서 작은 일들도 질문하고, 의미를 얻을 수 있다면 행복을 누리는 삶에 더 가까워지지 않을까요.

Q. 20대들에게 한 말씀

깊은 생각을 가지란 말을 하고 싶어요. '남들이 주택을 사니까 나도 사야겠다'거나 '나이트클럽 가야 즐기는 거라고 남들이 얘기하니 나도 가야겠다.'하는 것은 모두 피상적인 거예요.

돈도 남이 돈을 벌어야 한다고 하니까 나도 돈을 벌어야 하는가 보다 하고 생각할 수 있어요. 그런데 여기서 꼭 돈을 왜 벌어야 할까 잘 따져보면 좋을 것 같아요. 또한 유흥이 뭔지 잘 따져보면 좋을 것 같아요. 본질적인 것을 찾는다면, '내가 어떻게 살아야 하겠다'는 중심을 갖고 제대로 살 수 있을 것 같아요. 많은 20대들이 성형수술과 화장을 하는데, 본질을 감추고 겉모습으로만 어필하려고 하는 부분들이 아쉽습니다. 좀 더 본질적인 접근을 통해 깊이 생각하는 20대가 되길 바랍니다.

청춘, 인문학을 묻다

초판 1쇄 인쇄 2017년 08월 30일
초판 1쇄 발행 2017년 09월 04일

지은이 백두현·백하은·이영창·정민주·김순영·박이담·홍준호
펴낸이 김양수
표지 본문 디자인 곽세진   **교정교열** 장하나

펴낸곳 휴앤스토리   **출판등록** 제2016-000014
주소 (우 10387) 경기도 고양시 일산서구 중앙로 1456(주엽동) 서현프라자 604호
대표전화 031.906.5006   **팩스** 031.906.5079
이메일 okbook1234@naver.com   **홈페이지** www.booksam.co.kr

ISBN 979-11-960228-8-4 (03190)

＊이 책의 국립중앙도서관 출판시도서목록은 서지정보유통지원시스템 홈페이지(http://seoji.nl.go.kr)와 국가자료
 공동목록시스템(http://www.nl.go.kr/kolisnet)에서 이용하실 수 있습니다.
 (CIP제어번호 : CIP2017022483)